平凡社新書
1002

不条理を乗り越える

希望の哲学

小川仁志
OGAWA HITOSHI

HEIBONSHA

不条理を乗り越える●目次

はじめに……7

第1章　不条理な新世界……13
「パンデミック後の世界」と「すばらしい新世界」
日本社会に溢れる不条理
哲学の役割

第2章　パンデミック狂騒の果てに……33
不条理な幕開け
なにが残り、なにが戻り、なにが変わるのか？
歴史上の例外
怒りの哲学
懸念される衛生観念
1万年語り継がれる物語
ライフスタイルの三つの変化
危機を集団的に乗り越える

第3章　揺らぐ経済・社会…………85
決断主義と官僚機構の再構築
危機に瀕する民主主義
テイクアウト型リベラリズムへ
正義論とイカゲーム
ポスト資本主義
大衆社会とSNS――「根に持つ」個として
グローバル社会の「格差世界」
戦争と平和

第4章　揺れる生き方…………139
不確実性を抱きしめて
自己肯定感を高める
丸いからこそコロコロと転がれる
ヘーゲル的な僕らと、ヘルダーリン的Z世代
親ガチャと反出生主義

共犯としての能力主義
利他主義とリターン主義
死、絶望そして希望

終章　不条理と向き合うための笑去主義へ……197
不条理を受け入れる
反抗と連帯
笑去主義へ

おわりに……214

参考文献……218

はじめに

僕らも、あの巨人たちのことを忘れてしまうのだろうか？

突然、人を襲う巨人たちが現れて、人類が支配されてしまった時期があった。でもその後、人類は自らを隔離し、そのなかで、かりそめの平和を享受していた。そして忘れてしまったのだ。あの恐怖と混乱に満ちた日常を……。

これは漫画・アニメで大ヒットした『進撃の巨人』の世界の話、ではない。私たちを襲った新型コロナウイルスのことである。巨人というのは、人力の及ばない巨大な力を持つものに対して用いる比喩でもある。

そうして冒頭の記述を再度読んでいただければ、これがまさに人間とコロナウイルスとの関係を表したものとして読めるのではないだろうか。

突然、現れたウイルスに、私たちは支配されてしまった。でも、人間は英知を生かし、自らを隔離し、ワクチンを接種することで、なんとか平穏な日々を取り戻しつつある。そして、おそらくはあの恐怖と混乱をすぐに忘れてしまうのだろう。だが、『進撃の巨人』がそうであったように、これはプロローグにすぎない。物語はここから始まるのだ。新型コロナウイルスとの戦い、正確にいうならば、それが引き起こし、またあぶり出したさまざまな問題と対峙しなければならないのは、まさにこれからなのだ。

それにしても、突然、人間を喰う巨人が現れるというのは、なんとも不条理な設定だ。あの漫画やアニメを見たことがある方ならわかると思うが、人々にとって、それはもうわけのわからない状態なのだ。だからパニックに陥る。仮に、そこに因果があったとしても、それが見えにくい場合、もう理屈も理由もないに等しい。

そんな不条理によって引き起こされる問題は、やはりすべて不条理なのだ。ここでも、新型コロナウイルスとの共通点を指摘することができるだろう。突然現れた新型のウイルスは、たとえその出現に因果があったとしても、多くの人たちにとっては不条理な存在だ。

疫病の蔓延によって混乱する世界を描いたカミュの名作『ペスト』（新潮文庫、1969年）が、不条理小説の金字塔として評価されているように、私たちの世界は、新型コロナウイルス禍という不条理に見舞われ、そして今後も、その不条理によって引き起こされ、あぶり出された不条理な諸問題に悩まされ続けるだろう。

もちろん、この世の不条理は、すべてがウイルスによるパンデミックのせいではない。ほかにも環境破壊による災害や健康被害、能力主義による格差や社会の分断、人種問題、戦争やテロなどさまざまな問題が私たちを悩ませている。

ただ、そうした問題すべてが、パンデミックによって改めて浮き彫りにされたのはたしかだ。だからこそ、パンデミック時代という文脈を念頭に置きつつ、この世のあらゆる不条理に向き合うための哲学を提示したいと思うのである。

いま、ここで初めて私は哲学という言葉を使ったが、本書の主題は哲学である。不条理を題材に哲学をする、といった方がわかりやすいかもしれない。つまり、この不条理な時代、世の中をどうとらえ、どう乗り越えていけばいいのか考えてみたいのである。

ならば別に、哲学など持ち出さなくとも、普通に考えればいいではないかと思う方もいるかもしれない。

しかし不思議なことに、新型コロナウイルスが広がるにつれ、それに比例して哲学の需要も高まっていった。そこには、ある種の相関性があるのだ。

一言で表現するならば、化け物退治には化け物をということなのだろう。哲学がなぜ化け物なのかというと、それは劇薬だからなのだと思う。ほかの学問や人間の営みには、個別の目的がある。計算するためには数学を用い、ケンカをするためには腕力を用いるだろう。しかし、相手が何者かわからないときは、なにを用いていいのかわからない。

そうすると、万能な道具を用いるよりほかない。その点で、哲学はどんな物事でも対象にすることができるし、あらゆる物事を根源から疑って解明するラディカル（過激）さを備えている。

この万能であるという点と、ラディカルであるという点が劇薬なのだ。実際、哲学の父ソクラテスは、政治から神まであらゆるものを根源的に疑ったせいで、危険視されてしまった。比較的安定した時代だったから、古代ギリシアには化け物がいなかったのだろう。

それに対して、哲学が求められる時期は常に危機の時代だったといえる。絶対王政や世界大戦の後、あるいは震災の後など、そして、いまもそうだ。パンデミックの後、まさに哲学が求められている。

なぜなら、大きな危機は化け物であり、その化け物によって、それまでの当たり前を破壊されてしまった人々は、常識を疑って世界を再構築する必要に迫られるからだ。だから劇薬を求める。哲学という名の化け物を――。

不条理な時代に向き合うための哲学とは、その意味で化け物なのである。そういうと、なんだか怪しい学問のように聞こえるかもしれないが、決してそんなことはない。化け物という言葉には二義性がある。一つは妖怪などの姿を変える怪しい存在という意味だ。もう一つは、並外れた能力を持つすごい存在という意味である。私が後者の意味において、哲学を化け物と形容していることはいうまでもないだろう。

ウイルスという化け物、不条理という化け物……。

そういえば、新型コロナウイルスも変異する。いまの時代の不条理もＶＵＣＡ（ブーカ。Volatility〈変動性〉・Uncertainty〈不確実性〉・Complexity〈複雑性〉・Ambiguity〈曖昧性〉の頭文字。社会、経済、環境など予測できない時代を示す言葉）といわれるように、不確実で不確定な要素によってもたらされていることが多い。そんな不条理な時代を、それでも生き生きと希望を持って生きていくためには、どうすればいいのか。その乗り越え方をお話ししていきたいと思う。

少し長く話しすぎたかもしれない。こうしているうちにも、いろいろな化け物がこの世を跋扈《ばっこ》していることだろう。

さあ、そろそろ化け物退治に出かけるとしよう。

第1章　不条理な新世界

「パンデミック後の世界」と「すばらしい新世界」

いま、手元に二冊の新しい世界について書かれた本がある。

一冊は、劇的に変化する時代をどう生き抜いていけばいいのかを示した『パンデミック後の世界――10の教訓』（日本経済新聞出版、２０２１年）だ。著者はアメリカのジャーナリスト、ファリード・ザカリア。

もう一冊は、ディストピア（理想郷を表すユートピアの反意）小説の金字塔で、西暦２５４０年の世界を描いたSF小説『すばらしい新世界』（光文社古典新訳文庫、２０１３年）だ。機械文明の発達による繁栄を享受する人間が、しかしそれゆえに自らの尊厳を失ってしまっている世界を描いたものだ。著者は、イギリスのSF作家オルダス・ハクスリー。

私は哲学者であり、本書は哲学を主題としているが、あえてこの章では哲学の話は抜きにして、これら二つの本を参照しつつ、いまという時代を概観してみたい。

哲学というのは、まず現実を見据えることから始まる。現実を正しく認識して初めて、本質を見極め、また新たな視角を提起することができるからだ。その際、新しい世界について書かれた性質を異にするこの二冊の本が、これからなにを考えていけばいいのか照らし出してくれるだろう。

ザカリアの『パンデミック後の世界——10の教訓』は、今回のパンデミックがある程度収束してきた頃に、いち早く今後の見取り図を示したことによって、全米でベストセラーとなった。

したがって、もうそれだけで、いまの時代を考えるヒントになっているのだが、とりわけアメリカが中心に描かれていることもあって、日本の読者を想定した本書にとっては、反面教師となる部分が多いし、抜け落ちている問題もある。ここではその辺りの文脈を補いつつ参照していきたい。

ハクスリーの『すばらしい新世界』は、あくまで空想の世界の話であって、ある意味で、私たちの時代状況とはなんの関係もないのだが、この名作が哲学的であるだけに、どの時代のどの世界にも当てはまりうる教訓を内包している。

そもそも、この「すばらしい新世界」というタイトルそのものが、あらゆる新たな世界に当てはまりうる皮肉である。もともとはシェイクスピアの戯曲「テンペスト」で用いられた表現なのだが、ハクスリーはそれをあえてパロディのように小説のタイトルに用いている。したがって、本章の見出しである「不条理な新世界」もシェイクスピアのパロディのパロディということになる。

ハクスリーは、科学と権力によって統制された不条理な架空の未来社会を、「すばらしい新世界」と呼んで皮肉っている。その点で、いま、私たちが迎えつつあるこのパンデミックの世の中も、不条理に満ち溢れているという意味では、「すばらしい新世界」といえるだろう。

小説のなかでは、人々はその不条理に気づいていない。いや、気づかないような仕組みになっている。だから、心まで支配されていても幸せなのだ。しかし、外部の世界からやってきた「野蛮人」のジョンからすれば、それは不条理に満ちたディストピアにすぎない。

ジョンは、なぜみんなその不条理に気づかないのかと抵抗を試みる。しかし、誰も耳を貸そうとはしない。やがて彼は説得をあきらめ、自分だけでも違う生き方をしようと決意する。

だが、その苦行僧にも似た生き方は、フランスの作家アルベール・カミュが描いた『シーシュポスの神話』（新潮文庫、1969年）の主人公のごとく、挫折を繰り返すのみである。彼が山頂に石を運ぶたび、石は落下するのである。やがて彼は生きること自体をあきらめるペシミスティックな選択をすることになる。まさに不条理である。

現代を生きる私たちはどうだろうか。はたして、生の不条理に気づいていないのだろうか。あるいは、気づいているにもかかわらず、あえて目を背けているのだろうか。ザカリアは、そう分析している。だから警告するかのように、「シートベルトを締めよ」と呼びかけるのだ。

ザカリアは、私たちが今回のパンデミックから得た教訓を10個にまとめている。それが本のサブタイトルになっている。以下、簡単に紹介するが、その一つ目の教訓が「シートベルトを締めよ」なのである。

つまり、危険なことがわかっているのに、シートベルトを締めることなく走るような真似は止めよ、というのだ。行き過ぎた資本主義や環境破壊がパンデミックにつながっていることは気づいているはずだ、といいたいわけである。だから、それを改めない限り、パンデミックは繰り返されることになるという。

もちろん因果関係はわからない。ただ、行き過ぎた資本主義や環境破壊を改めることで失うものはなにもない。だとするならば、そっちの方に賭けた方がいいに決まっている。

二つ目の教訓は、「重要なのは政府の「量」ではない、「質」だ」。

これまで私たちは、大きな政府か小さな政府か、という議論を繰り返してきた。大きくしては失敗し、今度は小さくし、また失敗する。そしてまた大きくして……。

しかし、本当に大事なのは量ではなくて質なのだという。そこでザカリアは、「善き政府」が必要だと主張している。

一言でいうと、それはきちんと判断できる政府、それを支える有能な官僚組織を整えるということである。

アメリカの場合、官僚組織といっても政府が代わるごとに総入れ替えされる不安定なものなので、こうした見解になるのだろう。日本の場合は、いまは政治が官僚の人事を握ってしまっていることで、彼らが政治家の顔色ばかり窺っているという問題がある。だからといって、かつてのように官僚が政治をコントロールし始めると、彼らが優秀なだけにまた別の問題が生じる危険性があるのだが。

三つ目の教訓は、「市場原理だけではやっていけない」。

これは、すでにポスト資本主義ということで、どこの先進国でも議論を始めている。ある意味で、パンデミック後の一番の大きな変化といっていいだろう。市場原理だけで競争していても、社会に存在する格差を解消することはできない。なんらかの社会主義的な要素を入れなければならないということである。

四つ目の教訓は、「人々は専門家の声を聞け、専門家は人々の声を聞け」。

今回、特にウイルスや公衆衛生に関して明らかになったことだが、やはり餅は餅屋である。専門家の声に耳を貸さないと、トランプ前大統領のように弱さの象徴だとしてマスク着用を拒否したり、怪しげな医療処置や治療を推薦するなど前近代的な対策をとるはめになる。ただ、だからといって専門家が暴走するのも好ましくない。民主主義の主役は市民だからだ。ゆえに両者の意思疎通が求められる。

五つ目の教訓は、「ライフ・イズ・デジタル」。

現代社会においては、デジタル化のせいで、あたかも人間がそのいいなりになっているかのように思われがちである。しかし、ザカリアにいわせると、歴史上、人間はずっと神のいいなりだった。

つまり、人間に主導権がなかった時代の方が普通だったのだ。もちろん、ザカリアはそれでいいとは思っていない。だからこそ人間は、より人間らしさを愛するようになるというのだ。デジタル化と人間賛歌の二極化が進んでいくということだろう。

六つ目の教訓は、「アリストテレスの慧眼——人は社会的な動物である」。

パンデミックで、都市の脆弱さが指摘されたが、それでも人はやはり都市に住むという。便利だからだ。とりわけ五つ目の教訓でも触れたデジタルライフが、都市の生活をより快適にするという。

　だから、古代ギリシアの哲学者アリストテレスがいった、「人は社会的動物である」という慧眼は正しかったというわけである。ただ、日本ではいま、地方に目が向けられており、後で述べるが私自身も地方ライフを実践し、かつ推奨している。

　七つ目の教訓は、「不平等は広がる」。

　残念ながら、これからも不平等は広がる。そしてコロナ禍は「ビッグなものを、ますますビッグにしていく」という。たしかにＧＡＦＡ（ガーファ。Google、Apple、Facebook、Amazon の頭文字）のような巨大デジタル企業は、ますます需要が高まった。そこでザカリアは、もっと大胆に不平等をなくす方法を取るべきだと呼びかける。そうでないと、歴史をみてもわかるように、その次に起きるのは革命だと警鐘を鳴らすのだ。

　八つ目の教訓は、「グローバリゼーションは死んでいない」。

　たしかに、パンデミックが宣言されてから、一時は、どの国も国境を封鎖して、保護主義や国家主義が復活するかのように思われた。でも、そんなことをしても効率が悪いだけなのは、みんなわかっている。

ザカリアが鋭いのは、デジタル経済を推し進める場合、不可避的にグローバリゼーションに貢献することになるという点だ。国内で使っているアプリが海外の企業のものなら、必然的に、その海外企業を利することになるからだ。デジタルに国境はない。

九つ目の教訓は、「二極化する世界」。

これは、アメリカと中国が支配する世界になることを指す。ただ、かつてのアメリカとソ連の冷戦時代とは違って、単一のグローバルシステムのなかでの二極化なので、事情は大きく異なる。経済を中心にお互いを必要とし合うため、冷戦になるとは限らないということだ。

そして十個目、最後の教訓は「徹底した現実主義者は、ときに理想主義者である」というものである。

トランプ前大統領にみられたようなナショナリズムは、みんな仲良しの理想主義の反対で現実主義だと思われがちだが、実はいまの国際社会では、そんな孤立主義こそ理想主義であって、非現実的だという。

以上の分析は、いずれも納得のいくものであり、基本的に世界全体に当てはまる内容だといえる。しかし、やはりアメリカを念頭に置いたものなので、日本人にとっては少し遠く感じられる話もある。またいくつか抜け落ちている問題もあろう。そこでザカリアにならって、今度は、いま日本に溢れている問題、つまり私たちが直面している不条理を並べてみよう。

日本社会に溢れる不条理

まずは日本社会に対する、コロナ禍によるパンデミックのインパクトについてである。これは、私たちに社会全体の不条理を気づかせてくれるきっかけになった、といっていいだろう。一見、豊かで幸せそうにみえたこの日本にも、さまざまな問題が潜んでいる事実があぶり出された。

そもそも私たちの社会システムが、ウイルス禍にいかに脆弱かということを思い知らされた。2003年頃に中国広東省で起きたSARSで痛い目に遭った台湾は、今回は素早くウイルスの封じ込めに成功した。ところが日本はSARSの脅威にさらされなかったので、そういう体制がまったく整っていなかったのだ。それはシステムだけでなく、危機意識というメンタリティも含めてであろう。

とりわけ、日本政府の危機意識の低さは、初期（2020年初頭）の感染拡大に直接つながってしまった。それだけではない。ひとたびウイルスを封じ込めるとなると、今度は専門家のいいなりになってしまって、政府の混乱ぶりをさらけ出す結果にもなった。

社会的に弱い立場の人たちへの目配りが、まったくといっていいほどなされていなかったのだ。もしかしたら、そういう人たちの存在さえ、これまでは可視化されてこなかったのかもしれない。

こうして、この国にも大きな格差が存在することや、介護や看護の現場を担うエッセンシャルワーカーと呼ばれる人たちが、大変な思いを抱えて働いていることが明らかになった。

そうしたこともあって、行き過ぎた資本主義の見直しが、日本でも喫緊の課題となっている。

2021年秋に誕生した岸田内閣が、分配と成長を重視した新しい資本主義の構築を最大の課題の一つとして掲げたのは、その証拠である。

それは、必然的に公益を重視したものになるわけだが、国連が定めたSDGs（持続可能な開発目標。貧困をなくそう、飢餓をゼロに、すべての人に健康と福祉を、質の高い教育をみんなに、ジェンダー平等を実現しよう、安全な水とトイレを世界中に、エネルギーをみんなにそしてクリーンに、働きがいも経済成長も、産業と技術革新の基盤をつくろう、人や国の不平等をなくそう、住み続けられるまちづくりを、つくる責任つかう責任、気候変動に具体的な対策を、海の豊かさを守ろう、陸の豊かさも守ろう、平和と公正をすべての人に、パートナーシップで目標を達成しよう、など17の目標を掲げている）の流れもあって、脱炭素を中心とした環境問題への取り組みは、その動きと軌を一にしている。

いまや、「人新世《じんしんせい》」（人類の時代。詳細は第2章）という地質学上の用語が人々に膾炙《かいしゃ》（広く伝わる）するほど、環境問題は社会全体にとって重要な課題となっている。

ただ、よくいわれるように、化石燃料に恵まれない日本にとって、これは好機である。再生可能エネルギーの技術を高めることで、地政学上、不利だったポジションを一気に覆すことができる可能性が出てきたからだ。

また、再生可能エネルギーは原発などの大規模な施設と異なり、小規模なものであるがゆえに、コミュニティ単位で発電所を所有することによって、地域のデモクラシーが進むという見方もある。ひいては、中央集権型の国家からの脱却、裏を返すと地方の活性化にもつながることだろう。

奇しくも、コロナ禍は地方の可能性に目を開かせてくれたのである。急速に普及したテレワークなどのオンライン技術がそれを後押ししているといってもいい。これは、この国にとって長年の懸案事項だった東京一極集中と地方の衰退の解決にとって、一条の光明だといえる。

インターネットやデジタル経済の進展は、ますますこの国を活性化することにつながるだろう。もちろんそれと同時に、それらがもたらす問題も大きくなっていくわけだが。

コロナ禍でも問題になった、SNSのフェイクニュースが引き起こす混乱、炎上、さらには大衆操作などへの対応が、日本の民主主義の低調と相まって深刻な課題になっているといえるだろう。

VUCAと呼ばれる不確かな時代にあって、群衆の暴走は非常に危険である。それが、このおとなしい日本人の社会においても例外でないことは、コロナ禍に登場した自粛ポリスの存在や、感染者差別の動きを見れば明らかだろう。

アメリカで起こっている、ヘイトスピーチや社会の分断はおろか、議会の襲撃さえも、決して対岸の火事ではないのである。

その意味では、戦争やテロとも無縁ではない。今回のパンデミックで世界が不安定化すると、グローバル社会の一員である日本もそのあおりを受ける可能性が高い。自衛隊が海外に派遣される時代である。平和ボケは命取りとなる。

大きな話ばかりしてきたが、個々人の生き方も重要な転換点を迎えているのだろう。コロナ禍で格差があぶり出された結果、それが学歴偏重社会と、その背景に横たわる能力主義のせいであることが指摘されつつある。

しかも、子どもが能力を高めていくためには、そもそもいい家庭に生まれる必要があり、そのような社会の仕組み自体がフェアではないことに皆、気づき始めたのだ。人生はどの親の元で生まれるか次第で決まるガチャガチャのようなものである、という「親ガチャ」なる言葉が奇しくもネット上で喧伝《けんでん》され、若い人たちの間に広まった。

この、どうすることもできない不条理な世の中にあって、自己肯定感を喪失し、引きこもる子どもたちだけでなく、8050問題と呼ばれるように、中年世代の引きこもりも増えている。

コロナ禍も原因とはいえ、小中学生の不登校は過去最多だという。私自身、若い頃に経験したが、そうなると必然的に心身の健康を損なう。それがいつ鬱や自殺へとつながってもおかしくない。

いまの若い人たち、特にZ世代と呼ばれる10代から20代半ばくらいまでの人たちは、特に繊細な世代だという。これからの未来を担う金の卵が、不条理に押しつぶされてしまうようでは、日本社会の将来が危ぶまれるのも当然だ。

私たちはなんとかして、この社会に溢れかえる不条理を少しでも乗り越え、本当の意味での「すばらしい新世界」をつくっていかねばならないのである。

いまみてきたように、なにが問題で、なにをすべきなのかはわかっている。でも、やれない。この国の場合、最大の問題は、それでも変わろうとしないメンタリティにあるのだろう。

哲学の役割

では、なぜ、わかっているのにやらないのか。

『すばらしい新世界』のなかで、野蛮人であるジョンが、世界統制官のムスタファ・モンドに食って掛かるシーンを思い出す。

胎児の頃からの刷り込み教育と薬のせいで、疑うことを知らない人たちが大量につくられていく。しかしジョンは違う。異世界から来た人間なのだ。そのジョンの目から見ると、モンドのやっていることは人々をだましているようにしか思えない。なぜならモンドは人間の本質をわかっているからだ。

ジョンは、いったいなぜ人々に、自分の頭で幸福とはなにかを考えさせないのか、と詰め寄る。それに対してモンドは、そんなことをすると、逆に皆不幸になってしまうからだと答える。なにもかもが決まっていて、安定しているのが一番幸せなのだ、と。

たしかに幸福は、それを疑った瞬間に消えてしまう。一番幸福なのは、そのようなことを考えなくてもいい状態だ。でも、それではなにも変わらない。いわば、新しい選択肢は出てこないのだ。モンドは、いまとは違う社会になってしまう可能性を秘めた、新しい選択肢を恐れていたのだろう。

だから哲学を含めて、人々から「考えること」を奪ってしまったのだ。

哲学者の意味を問われて、ジョンはこう答える。「天と地のあいだに思いもよらないことがある人間です」と。なかなか秀逸な答えだと思う。世の中の常識を疑うことを生業《なりわい》としている哲学者たちは、モンドのもっとも嫌う存在なのだろう。せっかく、選択の必要のない社会をつくったのに、それを疑われると不都合なのだ。当時、著者のハクスリー自身が、選択肢を欠いていた。結末はほかにないと思い込んでいたのだ。その結果、最終的にジョンは命を絶つことになる。だからこの小説はディストピア小説になってしまった。希望がなかったのだ。それは彼自身が後に認めているところである。

この小説の新版の前書きで彼は、いまなら第三の選択肢を与えるだろうと述懐している。それは、「ユートピアと原始社会のあいだに、正気の道の可能性を提示する」という道である。

当時は芸術としてではなく、「哲学的完成度」に不足があったという。そう、哲学はどうしようもない状況にあって、思いもよらぬことを考え、第三の選択肢という希望をもたらす可能性を秘めている。

そういえば、ザカリアは『パンデミック後の世界』の終章に、「運命は決まってなどいない」という見出しをつけていた。そうなのだ。この不条理な新世界を今後どのような世界にするかは、すべて私たちに委ねられているのだ。ハクスリーが悔いたように、第三の道は常にありうる。

次の章からは、文字通り「すばらしい新世界」を築くために、パンデミック時代とどう向き合っていくか、新しい社会の仕組みをどうするか、私たちはいかに生きていくべきか、という文脈から、さまざまな問題に対峙していきたい。

そのうえで、最後に不条理そのものを乗り越えるための新たな哲学を提起してみたいと思う。

第2章　パンデミック狂騒の果てに

不条理な幕開け

ある日、突然、正体不明のウィルスのせいで、私たちは日常生活を否定され、まるで実験室で管理される微生物のごとく隔離されてしまった。

一夜にして、ウィルスと人間の立場は逆転したのである。そんな不条理な幕開けで2020年に始まった新型コロナウィルスによるパンデミックは、いまも人類の日常に狂騒といっていいほどの騒ぎを引き起こしている。

当初、欧米では次々とロックダウンが実施され、日本でも緊急事態宣言による権利制限がたびたび発動されることとなった。なにもわからない私たちは、ただ政府の指示に従うしかなかった。いや、正確にいうと、政府でさえどうすればいいかわからないので、専門家の意見に従うよりほかなかったのだ。

こういうとき、人類は、歴史上の出来事や小説のモチーフなど、既知の類似の例に学ぼうとする。多くの人がその類似性を指摘したのが、フランスの作家であり哲学者であるアルベール・カミュの小説『ペスト』であった。

カミュは不条理を主題に論じた哲学者だといわれる。カミュの前にも、キルケゴールのように不条理を主題にした人たちはいたが、カミュが哲学的主題とした不条理は、死すべき運命といった個人的不条理を超えて、集団的なものとして描かれた点に特徴がある。社会全体が、どうすることもできない大きな力に抗おうとあがき続けなければならない状態、といってもいいだろう。

早速、私もこの小説を読み直し、レギュラー出演していた哲学番組で紹介したり、漫画で学ぶための本を緊急出版したりした。その際に強調したキーワードの一つが、「誠実さ」だった。主人公である医師のリウーは、医者として誠実に自分の役目を果たすことが、疫病との唯一の戦い方だといってのけた。

その言葉は、普段やっている仕事を制限され、医療従事者などのエッセンシャルワーカーの奮闘を、ただ指をくわえて見ているだけの多くの人々の胸に突き刺さったことだろう。悔しくても、なにかしたくても、自分たちにできることは誠実に仕事をこなすことだけなのだ。いくら制限されていようと、いくら必要なかろうと、それしかできない。

私自身そうだった。哲学がパンデミックから人々を守ることに直接役に立たないのは明らかだった。でも、だからといって私が医療現場に行っても足手まといになるだけだ。そこでカミュの言葉を信じて、あえて、いまこそ哲学を説くことにした。私はあらゆる発表の機会をとらえて、この事態の本質を考え、伝え続けた。テレビや新聞、雑誌、本の出版といった主要なメディアはもちろんのこと、企業の機関誌やWEBメディアなど、使えるものはなんでも使った。YouTubeで発信を始めたのもこの頃だ。

カミュの指摘を待つまでもなく、遅かれ早かれ世の中の多くの人たちは、結局、自分にやれることを誠実にやるしかないと気づいたと思う。私たちは、社会を構成する存在であり、この地球上で生態系を構築する存在だからである。

ある程度、パンデミックに慣れてきたいまだからこそ思うのだが、人々が気づいたこの誠実さは、単に自分のやるべきことに専心するというだけでなく、社会や地球に対して誠実であらねばならない、という意味を含んでいたように思う。

たとえ、それが直接的な原因ではないにしても、不条理にも原因はある。今回のパンデミックも、人間が社会や地球に対して不誠実な態度を取った結果だともいえなくはない。

それは天罰だとか、そういった精神的な意味ではなくて、科学的な意味においてである。行き過ぎた資本主義が自然の乱開発を招き、未知のウイルスを人里に近づけてしまった可能性については、多くの識者が指摘するところである。

その意味で、この誠実さというのは、次なるパンデミックを引き起こさないためにも求められるものであるといえよう。実は『ペスト』で描かれたパンデミックは、戦争のメタファーであって、ペストはナチスを暗示していたともされる。したがって、これはカミュの意図したことではないのかもしれないが、私には、彼がこの小説を通じて人類の生き方そのものへの警鐘を鳴らしていたように思えてならない。

現に小説の最後で、彼は、ペストは忘れた頃にまたやってくるという予言めいた言葉を残している。

だとするならば、仮にコロナ禍が終息したとしても、私たちはこの人類の束の間の勝利に酔いしれている場合ではないし、油断している場合でもないだろう。ウィルスは、また形を変えてやってくるのだ。そうした事態に備えておく必要がある。

不条理というものに終わりはない。私たちにできることは、反抗し続けることだけなのである。戯曲「正義の人びと」のなかで、カミュは、そのことを明確に示しているように思う。この作品は、カミュが専制という不条理に対していかに反抗すべきか、悩みながらも一つの答えを提示した傑作である。

ちょうど劇団俳優座がカミュの「正義の人びと」を演じるというので、パンフレットに寄稿する機会をいただいた。

そこで私は、この作品に込められた不条理と、それに対する反抗の意義について論じることにした。

専制は人々を苦しめる。貧困を生み出し、思想を抑圧する。その結果、人の命を奪ってしまう悪の権化である。ところが、その悪の権化を倒すためには、自らもまた誰かの命を奪わなければならない。ある意味で、それこそが大きな矛盾であり、不条理なのだ。

はたして、人の命を奪うことが正義といえるのかどうか。この戯曲の登場人物たちは、皆、悩みながらレジスタンスとしての活動を続ける。

その悩みは、かつてレジスタンスとして活動しながらも、暴力的な革命を受け入れることができなかった、カミュ自身のものでもあった。そんななかで彼が見出した正義とは、「統一」を目指して反抗し続けることだったのだ。

統一というのは、やがて全体主義をもたらしかねない暴力的な革命とは正反対の、むしろ個々人の精神の調和を求める叫びにも似た対話にほかならない。この劇のなかで交わされる登場人物たちの対話は、そんな叫びに満ちていた。

正義とは、もともとバランスを求める行為である。革命と良心のはざまで必死に生きようとする正義の声。その声は、パンデミックによって露呈した社会の矛盾のはざまを生きる私たちにも、生々しく響いてくる。

だからこそ、その正義の声に耳を傾ける必要性を、劇を上演することを通して訴えたのだ。

不条理への向き合い方はさまざまだ。ただ一ついえるのは、なにかをしなければいけない、ということだろう。もちろん動かないということも、そのなにかだ。自粛生活はつらいが、積極的な行動だ。状況が許せば、劇を観るというのも行動だろう。

なにしろ、今回のような新しい不条理に対しては、なにが正しい対応なのかはやってみなければわからない。そこが、やるべきことがある程度確立している震災などの不条理とは違うところだ。だから、すべての行動が対応になりうる。

人類は、この2年の間に一通りのことを試してきたように思う。

このへんで一度その整理をすることが必要だろう。まだ事例も少ないので、震災対応と同じようにとはいかないだろうが。

なにが残り、なにが戻り、なにが変わるのか?

2021年にワクチン接種が始まった春頃から、私は「哲学カフェ」（市民と一つのテーマについて共に考えるイヴェント）やメディアの取材の場などで、次の問いを投げかけてきた。

「いったい、なにが残り、なにが戻り、なにが変わるのか？」。

まだポスト・コロナといわれる段階に入ったわけでもない時点で、このような問いを投げかけるのは、少し気が早いのではと指摘する人もいた。

しかし、新型コロナウイルスが蔓延し始めた直後に、すでにポスト・コロナのことを考えていた慧眼の持ち主もいたのだ。だから決して早いとは思わなかった。その慧眼の持ち主とは、イタリアの作家パオロ・ジョルダーノである。

彼は、今回のパンデミックの本質を、『コロナの時代の僕ら』（早川書房、2020年）と題された本のなかで、いち早く指摘していたのだ。あたかもそれは、未来を予言するかのような鋭い洞察であった。いま読み返してみてもそう感じる。

ジョルダーノは、コロナ後の世界について、すでにもっとも重要な問題を提起していた。「すべてが終わった時、本当に僕たちは以前とまったく同じ世界を再現したいのだろうか」と。

そう、大事なのはコロナ下ではなくて、コロナ後なのだ。パンデミックは、よく災害や戦争と比較されるが、災害や戦争も永遠に続くわけではない。だから、その悲劇を乗り越え、いかにして人生を立て直し、いかに幸せに生きていくかが重要なのである。そしてそれは、このコロナ下においてすでに考えておかなければ、コロナ後になった時に判断を誤りかねない。

その分析のためにも、私は、まず事態を三つに分類することにした。つまり、コロナ禍が起こったことで、なにが今後も残り、またコロナ前のなにが戻ってきて、さらにはコロナ後になにがこれまでと変わってしまうのかを、分けて考えるということである。

まずコロナ禍で起こったことのうち、なにが残るか、考えてみたい。

別に望んだわけではないにしても、やってみてよかったことは残るだろう。いわゆる怪我の功名だ。

では、いったいどのようなことが残るかというと、社会制度の場合、基本的に功利主義に則り、「最大多数の最大幸福」に資するものは歓迎される。イギリスの思想家ベンサムが提唱した考えである。

コロナ禍でいえば、典型的なのはオンライン生活だろう。テレワークのように、オンラインを使うことで通勤する必要がなくなったのは、人々の最大幸福に資するといえる。個人にとっては、通勤地獄からの解放や子育てとの両立などに資するし、企業にとっては、オフィスにかけるコスト削減や通勤手当ての削減に資する。そして国家にとっても、少子化対策や地方の活性化に資するからだ。

もっとも、功利主義はあくまで多数者のプラスになるだけで、全員に資するわけではない。したがって、必ず少数の犠牲者を出す。コロナ禍による自粛中のオンライン生活も、調理の現場や配送センターなどで働き続けざるを得ない人々を犠牲にしてきたように。

また、企業にしてみても、テレワークと通勤のバランスをどうするかは大きな課題であり、オンライン生活を完全に文化として定着させるためには、私たちはもう一山越えなければならない。

次に、コロナ禍が完全に終息した後、戻ってくるものについて考えてみよう。戻ってくるということは、逆にいうと、それまでは抑えつけられていたということになる。したがって、必然的にそれは本能の求める行為と重なってくる。

人間には自由を求める本能があって、それが抑えつけられると、なんとか元に戻そうとする力が働く。

オランダの哲学者スピノザは、その力のことをコナトゥスと呼んだ。努力と訳されることもあるが、意識して働かせる力ばかりとは限らない。その意味で、ここでは原語のままコナトゥスと呼んでおきたいと思う。

なにが、コナトゥスの力によって戻ってくるか。それは、古代から変わらぬ人間の本能に鑑みれば明らかだろう。

古代ギリシアの哲学者アリストテレスがいったように、人間は「共同体の動物」である。だから集まることに喜びを感じる。そして同じく古代ギリシアの哲学者プラトンが『饗宴』（岩波文庫、２００８年）に描いたごとく、集まって宴を催すのである。そこで酒を酌み交わしながら愛を語り、愛を実践する。

つまり、集まって騒ぎ、触れ合い、愛し合うのである。これらは皆、コロナ禍で抑えつけられていたものである。愛し合うことまで制限されていなかった、というかもしれないが、集まったり触れ合ったりすることを制限されると、必然的に新たな出逢いは減り、人が愛し合う機会も減る。だから少子化が進むことが危惧されたくらいである。

こうした行動は、確実に戻ってくるだろう。だが、すぐにというわけにはいかない。私たちはすでに、人間がウイルスを運ぶキャリアであることを知ってしまったからだ。そして、ウイルス感染は接触によって起こる。

これは、新型コロナウイルスに限った話ではない。とりわけ清潔好きの日本人にとって、とても厄介な問題である。コロナ禍で政府が強権的に、「国民よ、マスクを着けて黙食せよ」と呼びかけたのと同じように、今後は多少過激なスローガンが必要だろう。「国民よ、マスクを取って宴会せよ！」。

さて、それでは今後なにが変わるのだろうか。

コロナ禍の後に変わるということだから、それはコロナ禍前の社会の仕組みを変えるということを意味する。つまり、コロナ禍を経験したことで、反省した内容である。一番大きいのは経済の仕組みだろう。いわゆるポスト資本主義の議論である。

これはコロナ禍の文脈とは別に、これまでも議論されてきたことではある。行き過ぎた資本主義が、格差をはじめとしたさまざまな社会問題を生み出していることから、世界的に新たな経済体制のあり方が多くの人々の間で模索されてきた。

その社会問題の一つとして、今回のパンデミックが位置づけられることで、議論は一気に加速したといっていい。前述のジョルダーノも早くから指摘していた通り、科学的な因果関係は別として、少なくとも行き過ぎた資本主義が環境破壊をもたらし、地球に悪影響を及ぼしていることは誰の目にも明らかだからだ。

いまや多くの国が、コロナ禍に背中を押されたかっこうで、あるいは国民の不満を抑えるためにやむなく、分配を意識した経済体制について議論し始めている。しかし、これはそう簡単な話ではない。現に、税による所得の再分配は従来の資本主義の体制下においてもなされてきた。それに加えて、コロナ禍による飲食店などの減収を補填するための一時的な対応をするにすぎないのなら、ポスト資本主義とは呼べないだろう。かといって、共産主義を別にすれば、資本主義とはまったく異なる仕組みがなんなのかは、まだ誰も明らかにし得ていない。

このように、残るもの、戻るもの、変わるもの、いずれに関しても大きな課題が横たわっている。それを、なんとかしないことには、私たちは安心してポスト・コロナ社会を迎えることはできない。

私が早くから考えておくことを強調するのは、そうした理由による。修正はいくらでもできる。どうせ見通せない世の中だ。走りながら考えるよりほかない。「コロナの時代の僕ら」は選んでそうなったわけではないけれど、「ポスト・コロナの時代の僕ら」は、どう生きるべきかを自分で選べるのだ。

歴史上の例外

コロナで社会は変わった。それはたしかだ。当然のことながら、その変化にもいいものと悪いものがある。そのいくつかについて論じていきたいと思う。

よく「いいニュースと悪いニュースがある。どっちから聞きたい?」と問われることがあると思う。そんなとき、私は決まって悪いニュースから聞くことにしている。後味が悪いのは嫌だからだ。

そこで、まずは悪い変化から考えてみよう。それは世界の全体主義化についてである。パンデミックが宣言されて以降、多くの国がロックダウンなどの強権的な行動をとった。ロックダウンというのは、経済活動を含め、人の活動を強制的に封じ込めるものであり、多くの権利制限を伴う。

なかでも、コロナ感染が急速に広がっていたイタリアは、割と早い段階でロックダウンに踏み切った。それに対して、「イタリア史のもっとも恥ずべき時期の一つ」という痛烈な表現で批判を展開したのが、イタリアの哲学者ジョルジョ・アガンベンだった。

彼は、この事態を例外状態と呼び、それが恒久化することに対して大きな懸念を示した。例外状態とは、もともとはドイツの法学者カール・シュミットがもちいた用語を、アガンベンが応用して使っているものである。

つまり、主権者とは、例外に関して決定できる力を持つものだとする考え方だ。主権者は、予め決められたルールが適用できない例外的な事態において、自分自身が判断できる力を持っているのだ。たとえば、今回のようなパンデミックへの対応もそれに当たるだろう。イタリアに限らず、どこの国においても、程度の差こそあれ、歴史上の例外的な措置が取られたのだ。しかも今回の判断は、人々の自由を制限するというものなので、大きな影響を及ぼした。

アガンベンの言葉でいうと、人々はもう法律や権利のない「剝き出しの生」にされたのだ。たしかに法律は、私たちをしばるものであると同時に、私たちを守るものでもある。それがなくなったとしたら、「剝き出しの生」になるというのもうなずける。

ただ、パンデミック下においては、ある程度やむを得ないのかもしれない。問題は、それが恒久化してしまう恐れがあることだ。

心配しすぎだと思うかもしれないが、実際、これまでの歴史においては、そういうことがたびたび起こってきた。

アガンベンは、ヴァイマール憲法の保障する権利の数々を宙づりにしたまま、例外状態を12年も続けたヒトラーの例を挙げている。

どうしてもナチスの例を挙げると、それこそ歴史上の例外のように思われがちだが、たとえば、イスラエルでは第一次中東戦争のさなか例外的に取られた措置が、いまも残っている。そのことを指摘するのは、『サピエンス全史』（河出書房新社、２０１６年）や『ホモ・デウス』（河出書房新社、２０１８年）などの著書で知られる歴史家ユヴァル・ノア・ハラリだ。

イスラエルでは、その当時出された緊急事態宣言によって、新聞の検閲や土地の没収などが正当化されたが、その措置の多くが廃止されないままになっているという。

そのハラリが、今回のパンデミックに関して終始訴えているのは、監視システムなどのテクノロジーによる感染拡大の阻止が、全体主義的な監視社会の土壌になるという危険性である。

現に、中国ではコロナ禍を奇貨として監視社会のインフラ（新疆ウイグル自治区などではすでに行われている）が瞬く間に全国に整備されてしまった。もちろん、そのおかげでコロナ禍の発祥地と疑われるにもかかわらず、一気にウイルスを封じ込めることに成功した。しかしその代償は、あまりにも大きいように思えてならない。

だからハラリは、市民による自主的な行動に期待を寄せるのだ。

つまり、テクノロジーは積極的に活用すればいいけれども、市民がその内容をきちんと自分で判断し、自らの力を発揮するためのツールにしなければならないということである。

権力とテクノロジーには危険な共通点がある。それは便利だが、常に支配と背中合わせだという点だ。使いこなせなくなるや否や、私たちはたちまち支配されてしまう。その意味で、中国の状況は、国家としてみればパンデミックを抑え込んだ成功例なのかもしれないが、個人からみれば必ずしも成功とはいえない。

だからといって、必ずしもそれがコミュニズム的な制度を否定することにはつながらない。現に、スロヴェニアの哲学者スラヴォイ・ジジェクは、もう一つの歴史上の例外を指摘することで、コミュニズム的な制度の導入を訴えている。

彼のいうコミュニズムは、決して中国の共産主義を指すものではない。そうではなくて、医療や最低限の食料など、世界中で必要とされているものについては、平等に分け合ってはどうかというのである。

今回のパンデミック下において、世界の国々はワクチンをはじめ不足する物資を寄付することで助け合った。これは歴史上、例外的なことだといえる。

結局、いいことも悪いことも、歴史上の例外として取られた措置は、ひとたびそれが起こった時点で、もう例外ではなくなる。先例となるのだ。例外の恒久化は避けられないとしても、悪しき先例を避けることはできる。

事態が鎮静化したときに、私たちがやるべきなのは、悪しき先例を避けるための制度化である。また同じようなことが起こったとき、つまり別のパンデミックが起こったようなときに、いかにして新たな例外をつくらないようにするかである。

同じことに対して、例外的措置を取ることは許されない。それは主権者の権利ではなく、怠慢にすぎない。そこを間違うと、市民も黙ってはいないだろう。怒りが噴出するのだ。

怒りの哲学

怒り——。

これもまたコロナ禍があぶり出した負の側面だといっていい。それは、人間の間に渦巻く憎悪である。世界中で、コロナ禍への向き合い方をめぐり、激しい対立が生じた。人々は罵り合い、時には暴力に訴える者もいた。

BLM（Black Lives Matter）。とりわけ警官による、黒人への残虐非道な行為に対するアメリカで湧き上がった抵抗運動）のような人種対立が激化したのも、その背景にコロナ禍がもたらした格差や差別の問題があったことを否定できないだろう。当初、ウイルスは、一見平等に人々に襲いかかったように思えたが、現実にはそうではなかった。

差別や貧困にあえぐ人たちにとっては、それはより大きな脅威となって襲いかかったのである。そういう人たちのなかにもともとあった怒りは、あたかも火に油を注がれたかのような形をとって、世界中に飛び火していった。

日本も決して例外ではなかった。少し前までは、価値観の違いから、日本人同士があんなにも醜く憎しみ合えるなどとは考えられなかっただろう。驚いた人も多かったに違いない。たとえば、自粛に従わない人たちを取り締まろうとする自粛ポリス。皆が皆ではないが、時に、その行動はヘイトスピーチにも似た憎悪剥き出しの暴力と化していった。

もっとも、怒りそのものが悪だというわけではない。人間には感情が備わっている。そのなかには怒りという感情もあって、時に、それが必要なこともある。哲学の世界でも、怒りを肯定する議論は数多くある。

ハンガリー出身の哲学者アグネス・カラードは、人は感情によって道徳性を表現するものだという視点に立ち、怒りのモラルサイド（道徳面）からダークサイド（暗黒面）を切り離すことは不可能だと断言する。

そして「悪い世界では、人は善い存在ではいられない」として、怒りを肯定するのだ。この主張は多くの人にとって納得のいくものであり、むしろ自然なものと受け止められるだろう。よほどの精神修養を体験しない限りは、悪に対して腹を立てない方が不自然だからだ。

ところが、哲学的議論としては、これに対して賛同する声と同じ数だけ、批判の声もきかれる。

実際、カラードの議論をきっかけに怒りをめぐって哲学者たちが論争を繰り広げたアンソロジー『怒りの哲学――正しい「怒り」は存在するか』（ニュートンプレス、２０２１年）のなかでは、さまざまな立場が表明された。

この本の邦訳版は私が監訳を務めたのだが、そこには怒りという概念の多面性と割り切れなさが凝集されていた。

怒りを肯定しつつも、それは合理的な営みではないと主張する立場、終わりなき復讐を止め、平和を実現するために許しが必要だと説く立場、怒りに一定の意義を認めつつも、有害な怒りを見分ける必要性を訴える立場、怒りは代償を伴うことからこれを否定する立場などである。

結局、この問題は、怒りをどの次元で論じるかによって、答えが変わってくるように思われる。個人の感情の問題としてとらえるなら、それを抑え込むことはよくないのだろう。しかし、社会の次元でとらえると、話は変わってくる。

それは、ヘイトスピーチに関する政治哲学者ジェレミー・ウォルドロンの考え方をみればよくわかるだろう。彼は、基本的にヘイトスピーチに批判的である。なぜなら、言論の自由よりも、尊厳の方が重視されるべきだと考えるからだ。

ここでいう尊厳とは、人としての尊厳というよりも、もう少し絞り込んでシティズンシップの尊厳を意味している。

つまり、私たちは市民としての尊厳を持っており、それは市民の相互間で尊重されなければならないというわけである。そうした相互承認が保障されて初めて、安心して社会のなかで生活をしていくことができるのだ。

ウォルドロンは、そのシティズンシップの尊厳こそが、国家の前提だと考えている。シティズンシップがなければ、そもそも国家は成り立たないというのだ。国家は一人ひとりの市民としての権利があって初めて成立する。

それゆえ、ヘイトスピーチが市民の尊厳を毀損し、それがもとで安全が脅かされるようでは、国家の前提そのものが揺るがされてしまう。だからヘイトスピーチは規制されるべきだと主張するのである。

この議論はヘイトスピーチに限らず、社会的次元における、あらゆる怒りの表出に当てはまるような気がする。怒りが、社会にコンフリクト（衝突）をもたらすのは間違いないからである。怒れば必ず波風が立つ。市民の社会生活を脅かすような怒りは決して許容されるべきではないのだ。

もちろん、社会そのものが悪である場合には、怒りによって社会を変え、いい方向にもっていくことも考えられる。社会の次元において、怒りの意義を肯定する論者は、そのことを根拠にしているケースが多い。現に、歴史上の革命はいずれも怒りによってもたらされたものだ。

ただ、だからといって、それは先の私の主張、つまり怒りに対するネガティヴなとらえ方に矛盾するものではない。

なぜなら、避けるべきは市民の社会生活の安定を脅かすような怒りであって、その安定が別の理由で脅かされている場合には、むしろ怒りによって新たな安定をもたらす必要に迫られるからである。

したがって、集団的不条理に対する怒りは、肯定されるべきであろう。新型コロナウイルスがもたらした不条理な世界は、十分怒りに値する。これを怒りのエネルギーによって変えない限り、安定は望めないのだろう。

問題は、その怒りの矛先である。一番よくないのは、犯人捜しだ。集団的不条理において犯人捜しをし始めたら、それはリンチか戦争をもたらすだけだ。新型コロナウイルスに関しても、犯人捜しを始めた途端、怒りは悪となりうる。

大切なのは、事態を変えることである。つまり、怒りの矛先は「事態」でなければならない。それは主体であってはいけないのだ。パンデミックという事態そのものに怒りを向け、解決しようとする必要がある。

怒りとは、必ずしも暴力と破壊という表現形式を伴うものではない。芸術家が怒りをエネルギーに換えて、とてつもない創造をなし遂げるように、建設的な表現形式として立ち現れることもありうる。

コロナ禍で立ち上った炎を、街を焼き尽くす炎ではなく、街を再建する工場の灯に換えるためにも、怒りの矛先を間違えないようにしたいものである。

懸念される衛生観念

衛生観念は明らかに変わってしまった。息苦しくてもマスクをしないといけない、みんなで同じ鍋もつつけない。これは明らかに不条理だといえる。しかし、飛沫がウイルスをまき散らすというのだから、いまは仕方ない。問題は、これからである。ワクチン接種が進むと、欧米ではいち早くマスクを外して、コロナ禍以前の通常の生活に戻す動きがみられた。

ところが、日本はそういうわけにはいかない。衛生観念が確実にレベルアップしてしまっていることから、コロナウイルスの有無にかかわらず、飛沫の飛散を過度に警戒するようになっているのだ。

もちろん欧米と日本とでは、マスクに対する価値観が異なるのはたしかである。日本人はマスクをすることに抵抗はない。現に冬になるとマスクをする人はたくさんいたし、花粉症予防でマスクをしている人もいた。そしてそれをなんの抵抗もなしに受け入れてきたのだ。ところが、欧米は異なる。マスクをしていると重病と思われる風潮があったのだ。そこは圧倒的に異なる。

欧米では言葉で表現するとか、キスをするとか口を重視する傾向があるのに対して、日本ではキスはおろか言葉よりも空気を読むことが大事だとされてきた。まさに「目は口ほどに物をいう」文化なのだ。だとしても、このまま口を覆い続けるとなると、話は別だ。

衛生観念が高まることは望ましいが、それによって安全な行為まで失われてしまうのは、あまりに残念なことである。それは、もう文化の喪失といっても過言ではない。言葉狩りならぬ「口狩り」である。言葉が出るその前から口を狩ってしまう行為に等しい。

ひとたび汚いと認識されたものが、再度、社会から受け入れられるのには大きな壁が立ちはだかる。イギリスで活躍した思想家メアリ・ダグラスは、「穢《けが》れ」という概念を用いて、この問題について論じている。

穢れとは、分類体系にうまく当てはまらないもののことだという。つまり、社会秩序のなかの適切な場所に位置づけることができない場違いなものが、穢れとされるわけである。私たちは、そうやって社会の秩序を維持しようとするのだ。異質なものがあると、社会の秩序が保たれない。それを排除する理屈として、穢れが存在する。

ダグラスは、さらに、「汚れ」の存在意義も穢れと同じだという。たしかに泥汚れは、農作業の場では当たり前だが、デパートに買い物に行くとなると、急に異質なものへと変貌してしまう。デパートでは泥汚れは場違いなものであり、秩序を乱すのだ。

文明社会が発展すればするほど、汚れは排除される傾向にある。とりわけ日本社会においてはそうだ。高校の教科書にも載っている大西赤人のよく知られたエッセイ「判断停止の快感」では、そんな日本の状況を清潔願望の時代と呼んでいる。人々は清潔さを求めるあまり、異分子を忌み嫌うことによって差別をすることになると論じている。

このエッセイが新聞に掲載されたのは1988年のことだが、その後、この清潔願望はますます助長され、今回のコロナ禍でピークを迎えたような気がする。

もちろん、これ以上ひどくなることも考えられるが、そうすると、もはや衛生観念の低い人間は閉じ込めるよりほかなくなるだろう。それが、どんなに危険な発想であるかは明らかである。だが、そんなことを危惧せざるを得ない状況にまでさしかかっているのだ。しかも厄介なことに、清潔願望というものは私たちの本能に根差している。

だから大西は、「きたない」と判定された側が、自己主張しなければならないと説いたのだ。ダグラスはもっと積極的に、穢れには秩序を更新する潜在的な力があるとも論じている。だが、彼女のいうように、マジョリティの衛生観念の方が間違っている可能性はある。

先にも述べたように、私自身はそう感じている。いまの衛生観念がコロナ後も続くとしたら、それは行き過ぎだろう。そしてその恐れは十分にある。清潔願望の時代は、コロナ禍以前にもすでに行き過ぎていたからだ。

日本人はこれからもずっとマスクをし続けるだろう、という声をよく耳にする。それは、ほかでもない日本人自身が自虐的にそういっているのである。

だからこそ、自己主張が必要なのだ。もっとも、正面から主張すると、かえって迫害されかねない。それはコロナ禍で実際に起こったことである。衛生観念が低いと、犯罪者のようにバッシングされてしまうのである。

今回わかったことは、衛生観念が本能に根差すものであるだけに、それをめぐっての闘争は熾烈なものになるということである。

そこで有効なのが、ナッジという発想である。肘でつついたりして、それとなく気づかせるという意味の英単語が、思想用語に転用されたものである。

アメリカの哲学者キャス・サンスティーンらによると、これはリバタリアン・パターナリズムといって、いわば自由至上主義を掲げるリバタリアンが重視する個人の自立と、パターナリズムつまり父権主義に基づく有効な介入のバランスをうまく取るための方法である。

つまり、正面切って指示すると抵抗を受けるので、それとなく気づかせることで、主体的に行動してもらうための知恵だといえる。そのナッジが、すでに公衆衛生の分野で活用されている。

たとえば、健康増進を推進する流れのなかで、生活習慣病を予防するために、食事改善を促したり、運動することを勧めたりする際に用いられているのだ。健康食を食べるよう強制されると抵抗があるだろうが、お勧めメニューになっていたら、つい選んでしまうはずだ。

これを、先の「きたない」と判定された側も活用すればいいのだ。いまは、「きれい」な側の勢いがあまりにも大きすぎるので、相当頑張る必要があるだろう。そのためには、口をマスクで覆わない良さをそれとなく気づかせるための大キャンペーンを張る必要があるように思われる。

口元を見せることの素晴らしさ、同じ鍋をつつくことの素晴らしさを積極的に訴えるのだ。「きれい」な側の主張は、異分子を排除するファシズムにもつながる危険性をはらんでいる。だから、こちらもそれに対抗するには強い態度が求められるだろう。

とりわけ、化粧品業界やファッション業界、外食産業などは、口ファシズムならぬ「クチズム」を掲げる勢いで自己主張してもらいたい。

人間は汚い存在でもなければ、口は、バイ菌をまき散らすための道具でもない。私たちは、きれいだとか汚いだとかいう次元を超えた、自然の生き物だ。そしてその口は、自然の営みのために備わった恵みなのだ。

1万年語り継がれる物語

繰り返すが、今回のパンデミックが行き過ぎた資本主義のもたらした結果であることは、多くの識者の指摘するところである。それと同時に、広い意味で自然環境をないがしろにしてきた結果であることも指摘されてきた。

もちろん、現代社会において資本主義の過剰な追求は、必然的に環境破壊をもたらすものではある。しかしここでは、まずは環境破壊にしぼって話を進めていく。

環境破壊については、ここ数年「人新世」という切り口で語られることが多くなってきたように思う。

一般にこの語は、ノーベル賞化学者のパウル・クルッツェンが、2000年頃から使い始めた言葉だとされている。地質学の用語で、これまで1万年以上続いてきた完新世が終わり、新たに到来したとされる年代のことだ。アントロポセンの訳で、直訳すると人類の時代を意味する。

二酸化炭素の排出や核実験などによって、いまや人類が地球のあり方に大きな影響を及ぼす時代に突入している、ということだ。その意味では、人類の時代というよりも、人類が地球を破壊し始めた時代といった方が正確だろう。

こうした事態に対して、私たちはすぐに科学に解決を求めようとする。しかし、それで解決するなら、そもそもこのような事態には至らなかったはずである。こうなることは、近代以降の人間の科学力をもってすれば、いくらでも予測できたはずだからである。

その点を指摘するのが、フランスの歴史家クリストフ・ボヌイユとジャン゠バティスト・フレソズによる『人新世とは何か――〈地球と人類の時代〉の思想史』

（青土社、2018年）である。彼らが地球官僚（ジオクラート）と呼ぶ一部の専門家たちは、そんなことは百も承知でこの状態を放置し、利用さえしてきたというのだ。

にもかかわらず、地球官僚たちは、あたかも一部の地球システムの科学者たちが、ついに我々を目覚めさせた、といわんばかりの言説を並べていると指摘する。そうした「覚醒の語り（ナラティヴ）」は寓話にすぎない、と。だからもっと多数の語り（ナラティヴ）を生み出すことが必要なのだ。

環境問題についていま、哲学や倫理学の「語り」が強く求められるのは、そうした理由からである。ちなみに倫理学とは、物事の本質を探究する哲学とは異なり、なにが正しいのかを考える学問である。とりわけ価値判断の分かれる環境問題について議論する際には、倫理学の視点が不可欠であるとされる。

哲学にせよ倫理学にせよ、いずれにしてもこれらの学問は、科学のように自然を対象化して、それを数値でとらえたり、分析したりしようとはしない。そういった態度は極めて人間中心主義的なアプローチであって、だからこそ自然は常に利用の対象でしかないのだ。

哲学や倫理学は、むしろそれ以外のアプローチを取ろうとする点に特徴がある。いわばそれは非人間中心主義といってもいいだろう。むろんすべての立場がそうだとはいえないが、必ずしも自然を利用する対象としてとらえているわけではない。

それは、おもだった環境倫理の理論をみれば明らかだろう。1949年に発表されたアルド・レオポルドの「土地倫理」はその嚆矢《こうし》（先がけ）といえる。土地、つまり自然を人間と同じようにとらえる発想だ。だから人間という知識を持った特別な種《しゅ》には、その知識を使って自然が維持されるように努める責務があるという。

こうして環境倫理の世界では、自然環境を守るために、人間にはどのような責務があるかという形で議論がなされてきた。その際用いられたのが、正しいことは無条件に行わなければならないとするカントの義務論、あるいは計算によって効用がより大きくなる方が正しいとする功利主義といった、行為に焦点を当てた倫理理論である。

ところが、こうした倫理をいくら説いても、環境の悪化を止めることはできなかった。そこで近年注目を浴びているのが、人間の行為ではなく、性格を重視する考え方である。

倫理学の世界では、徳倫理と呼ばれるものがそれなのだが、環境倫理の分野でも環境徳倫理という立場が唱えられている。

たとえば、アメリカの哲学者ロナルド・L・サンドラーもその一人だ。人は、誠実さ、思いやり、寛容、勇気、節制といった一般的な徳を養うことで、環境に対して正しい行動を取るようになるという。さらにサンドラーは、「自然への尊敬」といった環境の分野に特有の徳の存在についても指摘している。

そうした気持ちを心から持つことができれば、環境保護に資するだけでなく、人生を豊かにすることにもなるとサンドラーは主張する。自然を心から愛したときに初めて、私たちはより自然を楽しめるようになるのだろう。あるいは、環境を守ることが負担にならなければ、エコ活動も日常を楽しいものに変えるだろう。

もっとも、こうした発想もまた、人間を中心にとらえる考え方から抜け切れていないと指摘されるかもしれない。しかし、人間中心主義というのは、人間を中心に考えることで、自然を利用し、破壊するだけの対象としかみなさない立場をいう。

その意味で、サンドラーのいうように、自然を尊敬の対象としてとらえる態度は、人間中心主義だということにはならないと思われる。

「人新世」を文字通り人類の時代ととらえるにしても、それは決して人間中心主義を意味するものであってはならない。そうではなくて、人類が自らの存在を顧み、正しい道を歩み始めた時代として定義されなければならないのだ。

いまのところ「人新世」は、人類が地球に悪い影響を及ぼし始めた時代としてしか認識されていない。しかし、地質学的な年代というのは、1万年単位で測るものだ。その点では、「人新世」はまだ始まったばかりで、それが、どういう時代を指すのかは、これからの人類の行動にかかっている。

そのためにも、私たちはもっと多くを語る必要がある。新型コロナウイルスがもたらしたパンデミックは、ある意味、地球が上げた悲鳴、あるいは逆襲の狼煙《のろし》でさえあったのかもしれない。その切なる叫びを受け止め、人間同士が語り合う、人間と自然が語り合う。そういう機運を地球全体で盛り上げていかねばならない。

社会におけるＳＤＧｓを意識した活動や、ビジネスの世界でＥＳＧ（環境、社会、ガバナンス）に配慮している企業を重視する発想など、すでにその兆しはある。物語を紡ぎ続けるのだ。１万年語り継がれる物語を。

ライフスタイルの三つの変化

さて、今後、私たちのライフスタイルはどう変わっていくのだろうか。大まかな社会の変化については、すでに述べた通りだが、ライフスタイルに焦点を絞って考えてみたい。

私は、大きく分けて三つの変化が起きると予測している。それは、コロナ下で定着したソーシャルディスタンス、地方への関心、オンライン生活という三つの生活の変化である。これらは、ポスト・コロナの社会においても一定の影響を持ち続ける変化であると思うのだ。

まずは、ソーシャルディスタンスからみていこう。もちろん、過敏なまでに距離を取って生活するということではない。レジで距離を空けて等間隔に並ぶとか、椅子を一つ空けて座るということは、今後はなくなるだろう。

しかし、コロナ禍以前から日本にあった、なんとなく適度な距離を取る風土が意識化されていくような気がするのだ。その象徴が日本家屋の縁側だと思う。

コロナ禍で縁側が注目されている、という記事を読んだ。縁側は風通しがよく、自然にソーシャルディスタンスをとってコミュニケーションできる場だからだそうだ。あの、内でもなく外でもないちょうどいい空間が、新たな意義を持ち始めているというわけだ。私はこの縁側という言葉に二つの意味を見出した。

一つはもちろん縁側の字義通り、「ふち」とか「へり」という意味である。周縁の縁だ。もう一つはご縁の縁である。

いわば縁側思想とは、周縁とご縁を大切にする思想ということになる。周縁に目を向けることで、これまで中心だけを重視してきた日本人のメンタリティを変えるような気がしてならないのだ。

これが東京一極集中、都市と地方の格差、そういった問題を解決する発想につながりはしないだろうか。いや、実際にコロナ禍を奇貨として、その動きは始まっている。これについては、二つ目の変化のところでじっくりお話ししたい。

ちなみに、縁側は日本独自のものだが、別に庭でもバルコニーでもいいと思う。要は、内でも外でもない空間ならどこでもいいのだ。その濃すぎず薄すぎずという関係性こそがポイントなのである。

人間関係の文脈でいうと、これは縁側関係ともいうべきもので、コロナ後の新たなコミュニケーションを象徴するものでもある。先ほど縁側の縁はご縁を意味するといったが、要は人を知る機会として、縁側を利用するようになると敷居が下がるのである。

人を知るためには人を招かねばならない。でも、そのためには家の座敷に通す必要がある。それは文字通り敷居が高かったのだ。座敷は家の中央にあり、そこに通すとなると大事《おおごと》になる。西洋のように気軽にホームパーティを開く文化があるわけではないので、いちいち大げさなイヴェントになってしまう。

その敷居を下げてくれたのが、縁側でのコミュニケーションだといっていいだろう。これまでは縁側で話すだけというのは、失礼にもあたったが、コロナ禍のおかげでそのように思う人はいなくなった。だから、むしろ人を知る機会が増えたのだ。ご縁ができる確率が高まったというわけである。

次に、地方への関心という変化についてみてみよう。

私も地方に住んでいるからわかるのだが、明らかに地方への関心は高まったといえるだろう。コロナ禍になってから、よく地方生活のメリットなどを聞かれるようになった。企業も本社を地方に移したりするところが出てきている。

都会は、パンデミックに対して脆弱であることが明らかになったのと、テレワークの普及によって、必ずしも賃料の高い都会にオフィスを構える必要がなくなったからである。そうすると、必然的に個人も地方に移り住むようになる。この場合、仕事を変えるというリスクなく地方移住ができるので、それを望む人には好都合といえる。

しかし、個人的に地方に住みたいと思う人で、テレワークができないなら、どうしても二拠点生活になる。実際、都会の近郊に住む人はけっこう増えているようだ。仕事によっては、もっと距離のある二拠点生活も可能だろう。

そういう、二拠点生活をする人をデュアラーと呼ぶらしい。私もその一人として、デュアルライフの利点について、ことあるごとにPRしている。一言でいうと、都会と地方のどちらのおいしい部分も得られるということである。

交通費はかかるが、都会の家賃や生活費を考えると、決して無理ではない。都会では、滞在期間に応じてホテルやウィークリーマンションに泊まればいいのだ。もし仕事を変えていいなら、好きなところに移住するということも可能だ。いわゆるIターンだ。

コロナ禍によって自然の大事さ、快適さに気づいた人は多い。また時間的・空間的、そして何より精神的ゆとりを持って生活することの意義に気づいた人も多いだろう。だからいま、地方が熱くなっているのである。

企業の移転も、個人の移住も、いずれも地方を活性化することにつながるはずだ。いや、企業の移転は、その企業自体の活性化だけでなく、個人の移住を伴うため個人の活性化につながる。その結果、地方全体が活性化するといった方が正確だろう。個人、企業、社会のいずれもが地方に目を向けることで活性化するのだ。その意味で、地方に対する関心を高めることは、「活性化思考」だといっていい。日本全体を活性化するために求められる思考法である。活性化とは、中心からかき混ぜるのではなく、周縁でいくつもの渦を起こすことによって、全体を沸騰させる営みにほかならない。

とりもなおさず、それは、いま世の中に求められているESG投資などのトレンドにマッチするものである。環境などを重視した長期的な視点、あるいは新しい機会の創出を模索する態度は、必然的に地方に目を向ける結果になる。なかなか進まなかった地方の活性化が、皮肉にもコロナ禍によって一気に加速した格好だ。そして、同じくコロナ禍によって皮肉にも一気に加速したのがオンライン生活である。

ここで、三つ目のオンライン生活への変化についてみていきたい。

オンライン生活のなかでも一番の恩恵は、なんといってもテレワークだろう。オンライン会議システムは日進月歩で、いまや多くの人が家にいながら仕事ができるようになった。そうすると、家事や子育てがしやすくなる。通勤地獄もないので、心身の健康にもいいだろう。最低限の身だしなみは必要だが、会社に行くときよりは手を抜くこともできる。自由時間も必然的に増えるというわけだ。

あるいは、家に閉じこもっていなくても、カフェで仕事をしたり、時にはワーケーションに象徴されるように、旅行先から会議に参加したりということも可能になる。つまり、どこでも働けるということだ。

かつては、ノマドワーカーといえば、自分一人で仕事をするプログラマーや作家のような特殊な業種に限られていたが、いまは誰もがノマドワーカーになれる時代なのだ。働き方は限りなく自由になるだろう。

ついでにいうと、メタバースという発想が出てきているが、これによると自分ではないアバターが仮想空間で活動することも可能になるので、今後さらに自由が増すのではないかと思う。

このように、オンライン生活は確実に私たちの自由度を増やす。ただ、他方でそれにはリスクも伴う。自由すぎるからだ。すでに問題になっているが、企業は個々の労働者の管理に苦慮しているし、個人も自己管理できない人は悩みや問題を抱え始めている。社員が孤立するという問題は特に深刻化しつつある。

オンライン生活は、よくも悪くも自由すぎる点が特徴であり、自由主義思想ならぬ「自由すぎ思想」に支配されているのである。したがって、オンライン生活を成功させるカギは、自由をうまく飼いならせるかどうかにかかっている。

さて、どうだろうか。

これから、私たちの身にふりかかる三つの生活の変化。個人的には、いずれも歓迎すべきものだと感じている。新しく人と知り合う機会が増え、地方で人も共同体も活性化し、自由が増えるなら、こんなに素晴らしいことはないだろう。

もちろん、オンライン生活のところで指摘したような自由の管理という問題など、新たな問題はこれからも種々出てくるだろう。しかし、それも含めて、私たちはこの新しい変化を乗り越えていかねばならないのだ。

そこで本章の最後に、困難を集団的に乗り越えるための方法について考えておきたい。

危機を集団的に乗り越える

カミュは、集団的不条理という新たな問題状況に向き合った点で画期的だった。それまでは、不条理について論じるにしても、あくまで死に象徴されるような個人的不条理ばかりが主題とされていたからである。

そこに戦争やペストのような集団的不条理をテーマに、いわば集団的にそれを乗り越える方途を模索したのが、カミュの実存主義であったといってよい。そしてその答えは、「連帯」するというものであった。

共に不条理と戦う人々が、一つに力を合わせること。彼は、それを「統一」と表現した。カミュは、人々が統一を目指して反抗し続けることを説いたのだ。それは、全体主義をもたらしかねない暴力的な革命とは正反対の、むしろ個々人の精神の調和を求める、叫びにも似た対話にほかならなかった。

その結論自体は、素晴らしいものであり、コロナ下における国民の連帯をみても、まさに正しいあり方であるといえるだろう。ただ問題は、カミュの理論には将来世代をも包含する長期的視野が欠けていることにある。

少なくとも、現代のパンデミックに関しては、それが繰り返される可能性が大いにある。したがって、いま、ここにいる人たちが連帯するだけでは、不十分なのだ。むしろ、これから生まれくる人たちとの連帯こそが求められる、といっても過言ではない。

なぜなら、パンデミック対策とは、地球そのものをどう扱っていくかという問題であり、とりもなおさずそれは、将来世代が住む場所や環境をどうするかという問題にほかならないからである。

その点で参考になるのが、ドイツの哲学者ヤスパースの思想である。ヤスパースは、人間が避けることのできない死などの絶対的な限界を「限界状況」と呼んだ。その限界状況を意識して初めて、人は死に対して本気で向き合うことができるというわけである。

そのうえで、ヤスパースはこの原理を、原爆によってもたらされる全人類の死滅へと拡張した。私たちは、全人類の死滅を限界状況として自覚することで、原爆の問題に向き合うことができるというのだ。

自分の死であれば、自分事としてとらえるのは容易である。だが、いったいどのようにして全人類の死滅を自分事としてとらえることができるのだろうか。

そのために彼は、死滅をあらゆる人間にとっての全般的共同性として認識する必要があるという。全般的共同性というのは、わかりやすくいうと他者の存在を自分の存在と一体のものとして理解するということである。

そして、この場合の他者には、まだ見ぬ未来の世代も含まれる。そうでないと死滅を防ごうということにはならないからだ。つまり、原爆は未来世代も含めてすべての人間の存在を奪ってしまうものだから、この世からなくさなければならないということになるのである。

いわばこれは、原爆の投下という不条理を、集団的に乗り越えようとする態度にほかならない。こうした態度は、集団的な実存主義であると同時に、未来世代を含むという点において、いわゆる世代間倫理をも内包するものであるといえる。

原爆に限らず、全人類を死滅させかねない不条理に対しては、このヤスパースの思想を当てはめることができると思うのである。もちろんパンデミックもその射程にある。

現に、今回の新型コロナウイルスによるパンデミックに関しても、世代間倫理を意識して、この危機を乗り越えようとする姿勢は、各所で見受けられたような気がする。たとえ自分が犠牲になっても、みんなで将来のために人類を、そして地球を守ろうという姿勢である。

とりわけ日本では、コロナウイルスが猛威を振るうなか、『鬼滅の刃』が映画化を機に大ヒットした。それこそ世代を超えて、社会現象といってもいいほどの旋風を巻き起こしたのは記憶に新しいと思う。

もちろんヒットの背景には、多くの要素が絡んでいるわけだが、私が着目したいのは、まさにこの危機を乗り越えるための集団的な実存主義と世代間倫理の組み合わせである。

そもそも鬼と人間との戦いは、あたかも人間に寄生して生き延びようとするウィルスと人間との戦いと重なる。だから、コロナウイルスと戦う自分たちの姿を、無意識のうちに物語に投影してしまうのは自然なことなのだろう。

登場する剣士たちは皆、協力しながら命をかけて鬼と戦っていた。その際、物語のなかでたびたび出てくる、「人のためにやることは、巡り巡って自分に返ってくる」というセリフは、実存主義と世代間倫理を象徴するものだといえる。

なぜなら、犠牲になって死ぬ場合、その恩恵は自分にではなく、残された者に返ってくるからだ。実際、この物語では、「受け継ぐ」という概念が重視されている。私たちがいま、誰かのためにやることは、巡り巡って残された子どもたちや子孫のためになると心から思えれば、行動や生き方が変わってくるかもしれない。剣士たちの自己犠牲は、私たちにそんなことを気づかせてくれたのではないだろうか。

ポスト・コロナ時代を生きようとする私たちは、これからも皆で危機を乗り越え、将来世代のために幸福で平和な世界を残していくべく努力し続けなければならない。

そのためには、どのような社会をつくり、どのような生き方を構築していくべきか、いま一度本質にさかのぼって考える必要があるだろう。

以下の章では、揺らぎ始めた社会の仕組み、及び不確実性ゆえに揺れる生き方に関するさまざまな論点を挙げつつ、そのそれぞれについて指針を示していきたいと思う。

第3章　揺らぐ経済・社会

第1章で、ファリード・ザカリアの『パンデミック後の世界——10の教訓』を紹介した。そのなかの教訓の一つが、政府の質を追求すべきだというものだった。これまで私たちは政府の量だけを議論してきたからだ。ここで、もう少し詳しく述べてみたいと思う。

つまり大きな政府か、小さな政府かという政府の役割の問題である。政府が小さいと、より民間セクターに多くが委ねられる。逆に政府が大きいとその役割は増すが、負担も大きくなる。これまでの歴史でわかったことは、どっちもうまくいかないということだ。

だからといって、あいだを取ったぐらいの政府がいいとかそういう問題ではない。むしろ量はどうでもいいのだ。大事なのは、質である。そこでザカリアは、「善き政府」を求めるべきだという。それは限定的な権力があり、権限が明確に区切られている政府を指す。

これまでの政府は、そのへんが曖昧で、だから決断もできずにいた。そう、ザカリアが重視するのは決断である。そこで想起されるのは、20世紀ドイツの法学者であり哲学者のカール・シュミットの思想だ。

彼の思想は、決断主義と呼ばれる通り、主権者による決断を最重要視するものである。とりわけ危機の時代の政治には、決断が求められるという。ナチスが支配する時代を生きたシュミットのケースでいうと、戦争や国内の政治的混乱時がそれに当たる。戦間期のドイツでは、ナチスが政権を掌握し、第二次世界大戦へと突き進んでいった。

シュミットは、その危機の時代に決断主義を唱えることで、ナチスのイデオローグと称されるようになってしまったが、彼の真意はそこにあったわけではない。現にシュミットは後にナチスからも批判されている。

他方、現代社会においては、新型コロナウイルスによるパンデミックという危機を迎え、多くの国で主権者の決断が求められた。そこでシュミットは、いまなおアクチュアルな（現代に通用する）哲学者として参照されたのである。

しかし、その解釈のされ方は、非常に危ういものであったといえる。超法規的な判断をせざるを得ない「例外状態」において、世界の主権者たちは、ただ無根拠に独断でさまざまな権利制限に踏み切ったのである。

それは、決してシュミットのいう決断ではなく、単なる独断にすぎなかった。シュミットの決断は、彼が「政治的なもの」と呼ぶ非常に緊迫した状況のなかで、根拠に基づいて敵と味方を見極めるというものであった。そして味方に利するような秩序を構築する、というのが、決断主義の本質であったはずなのだ。

その根拠とは、時代や民族に固有の正常性にほかならない。弱り切った国家が一致団結して立ち上がるためには、ゲルマン民族の精神が根拠になったのだろう。それはシュミットが、ナチスのイデオローグと称されるゆえんであるが、それが正常性であるとされるのは、その瞬間にすぎない。

状況が変われば、それは異常にさえなりうる。シュミットがナチスと袂を分かったのは、状況が変わったからだろう。少なくとも、時代や民族に固有の正常性を根拠とする限り、彼が批判する議会制のように、政治的な対立を単なる取引に矮小化してお茶を濁すようなことはあり得ない。

危機の時代において、主権者は正しい根拠の下に、正しい決断をし続ける必要があるのだ。パンデミックをはじめ、危機が続くこの不条理な時代にあって、決断主義は見直されなければならない。


もっとも、ＶＵＣＡの時代の決断はそう容易ではない。主権者、とりわけ時の政治家たちには荷が重い話なのである。どの分野においても、専門家さえ正解を出しあぐねている状況である。ましてや、政治という漠然とした対象を専門とする政治家たちには、なにが正解かわかるべくもない。

そこで重要になってくるのは、決断できる政治家を選ぶこと、加えて、政治家の決断に適切な判断材料を提示できる官僚組織の存在である。実は、これは前述のザカリアも述べていることである。

彼は、優秀で意欲的な人材を官僚として起用しなくてはならないという。

日本に限っていうと、いまは、いずれも欠けてしまっている。だからうまくいかないのだろう。かつては、気概のある政治家がいて、かつそれを支える優秀な官僚機構が存在した。官僚が適切な判断材料を提示し、それをもとに政治家が判断をしていたのだ。戦後、日本が奇跡的な成長を遂げ、世界第二位の経済大国にまでのし上がることができたのは、そうした政治家の決断と、それを支える強靭な官僚機構のタッグの賜物だった。

しかし、もはやその仕組みは崩壊してしまったといっても過言ではない。アメリカの背中を追いかけることが目的であった頃、そして、そのための護送船団方式が有効に機能していた頃には、その仕組みはうまくいっていた。

ところが、日本がデフレの長期化で新たな世界を切り開いていかなければならない状況に突入するや否や、政治主導の名のもとに政府のかじ取りは迷走を始めたのである。国会議員は官僚をあたかも国民や民主主義の敵であるかのように扱い、民間や自分たちの政策担当秘書などに判断材料の提供を委ねるようになってしまったのだ。しかし、そこには自ずと限界がある。

さらに問題なのは、国民のあいだに政治的無関心が蔓延するなかで、必ずしも適切な決断をできる良識ある政治家が育ってこなかったのだ。

戦前・戦後の気概ある政治家とは異なり、それらの二世・三世ばかりが占め、気概どころか危害さえある政治家集団は、乏しい、いや怪しい材料をもとに、独断を繰り返してきたわけである。

その結果、日本の政治は、もはや会うたび首相が代わると各国政府から揶揄されるほど、失敗と責任をとっての辞任を繰り返す喜劇的な状況を生み出してしまった。なかには小泉や安倍のように長期政権を維持したリーダーもいるが、それは決断をしたからではなく、反抗することさえ知らない国民に、独断を押しつけたからにほかならない。


この不確実な時代にあって、そのような良識ある政治家を選び、かつ官僚機構を再構築するには、よほど市民の意識が変わる必要がある。奇しくも高校教育に「公共」という科目が新設され、主権者教育が強化されることとなった。良識ある政治家を選ぶという部分については、18歳から選挙権を得られるようになった若者の良識に委ねられるだろう。

官僚機構の再構築については、そうした良識ある政治家が選ばれれば、自ずと市民の意識も変わってくると思われる。

有能な官僚も、政治家に罵倒されることだけが仕事なのだとすれば、民間に流れてしまうだろう。現に一昔前とは異なり、官僚になる人材の質は落ちているという。これは別に国家公務員総合職（旧一種）の合格者に東大卒の割合が減っていることだけをいっているのではなくて、現場の官僚たちがこぼしている実態なのだ。

だからといって、私は、なにも悪しき官僚国家の復活を唱えているわけではない。誤解しないでいただきたいのだが、目的はあくまで不確実な時代に求められる決断主義の復活である。そして、それを単なる独断の許容にしてしまわないために、健全な官僚組織の再構築が必要だと主張しているのである。

ザカリアのいう善き政府は、この国に限ってみても、そうした政治と行政の再生なくしてはあり得ない。

そして、いうまでもなく、そのカギを握るのは善き国民による善き民主主義の実現である。強いリーダーとして政治家の決断が求められるとはいえ、真の主権者は国民自身だ。そこで次に、危機に瀕する民主主義の実態と、その改革について考えてみたいと思う。

危機に瀕する民主主義

いま、民主主義は三つの意味で危機を迎えている。

一つ目はポピュリズムの台頭、二つ目はＳＮＳをはじめとしたテクノロジーによるコントロール、三つ目は危機に乗じた全体主義的な統制である。

これらの問題は、程度の差こそあれ、どの国でも起こっていることであって、その意味では、イギリスの政治学者デイヴィッド・ランシマンが指摘するように、民主主義はもはや静かに終わりつつあるといえるのかもしれない。

とりわけランシマンは、巨大ＩＴ企業に操作されたＳＮＳによって民主主義が乗っ取られていくことを危惧している。それを象徴するのが、「トランプは登場したが、いずれ退場していく。ザッカーバーグは居続ける」という辛辣な言葉だ。

たしかに、SNSは民衆の政治へのアクセスを容易にした。しかし裏を返すと、これは民衆の心を動かすのも容易になったことを示唆する。

その意味で、一つ目のポピュリズムの問題と、二つ目のテクノロジーによるコントロールの問題は、共犯関係にあるといっていいだろう。

まずは、ポピュリズムの問題について考えてみよう。トランプ前アメリカ大統領の誕生は、世界にポピュリズムの台頭を危機として知らしめるきっかけとなった。もっとも、それ以前からヨーロッパではその傾向は出始めていた。

そもそもポピュリズムとは、単なる衆愚政治とは異なり、現代においてはもっと異なる文脈で用いられる言葉である。ドイツ出身の政治思想家ヤン＝ヴェルナー・ミュラーが定義したように、それは、ほかの考えや道徳を認めようとしない反多元主義に本質があるといっていい。

ヨーロッパでは、かねてより移民が社会問題化していた。彼らが労働を奪うとか、イスラーム系の移民だと宗教対立の原因になるなど、一部の国民にとっては、移民排斥の姿勢がポピュリストを生み出す結果につながっていたのだ。同じくメキシコからの移民を排除すべく、国境に壁をつくるといって大統領になったトランプが、ポピュリストだといわれるのもよくわかるだろう。

本来、民主主義は、すべての民衆が議論に参加することで、少数者の意見にも耳を傾ける点に特徴がある。ところが、ポピュリズムはその正反対で、自分たちと同じ意見にしか耳を傾けようとしないのである。

だから、同じように選挙で代表を選んでいるようにみえて、実際には、これは民主主義の危機を招来していることになるのだ。

私にいわせると、ポピュリズムとは民主主義の皮をかぶった独裁にほかならない。ひとたび権力を手にしたとたん、自分の支持者のいうことにしか耳を傾けないからだ。いや、自分の考えが変われば、元の支持者にさえ耳を傾けないのだから、もうこれは独裁者といっても過言ではないだろう。トランプ前大統領が次々と側近の首を斬っていったのが、その証拠である。

しかし、どうしてそのような馬鹿げたことが起こるのだろうか。皆、結果が見えていないのだろうか。

そうなのだ。皆、不満をぶちまけているだけで、その不満が威勢のいいポピュリストへの支持という形をとっているのだ。

その不満が増殖する温床となっているのが、SNSだといっていい。私はSNSのすべての機能を批判するつもりは毛頭ないし、うまく使えれば、こんなに便利で有効なコミュニケーション手段はないだろう。

問題は、皆がうまく使えてない点にある。むしろ、うまく使われてしまっているのだ。先ほどのランシマンの指摘のように、「テクノロジーによる乗っ取り」が起こりつつある。それはトランプを大統領の座へと導いたフェイクニュースや、ネット上の、自分の関心のある情報が優先的に表示される仕組みを見ても明らかだろう。極端にいうならば、私たちは嘘の情報を与えられ、しかもそればかり見る、という日常を強いられているのである。これがテクノロジーによる乗っ取りでなくてなんなのだろうか。

民主主義の三つ目の危機として挙げた、危機に乗じた全体主義的統制も、こうした乗っ取りに起因するところが大きい。偏った情報だけを与えられ、批判する精神を失ってしまった人間は、統制されやすい。

だから、危険だといわれれば危険だと思ってしまう。それが自分の信頼する人間の言葉ならなおさらだ。ポピュリストを信奉する民衆なら、そのポピュリストがいうことは簡単に信じるだろうし、そういうポピュリストがいない国の場合、政府は無防備に信頼する対象なので、すぐ信じてしまう。

日本の場合は後者だろう。幸か不幸かリーダー不在のこの国では、政府が唯一の信頼できる情報源になっている。誰がリーダーであろうと、どの政党が政権をとっていようと関係がない。政府は昔からずっと「御上」なのだ。

そしてもちろん、この御上という言葉がもともとは天皇を指すものである点に象徴されるように、日本では御上を自己の存在根拠に結びつけさえしているのである。世界から、日本人は集団主義だとか個性がないとかいわれるのは、そうした長く続く私たち自身のメンタリティに起因しているのだ。

それは日本が近代化し、個というものが強調されるようになってからも、なにも変わらなかった。夏目漱石が個人主義を国家主義と同列に扱ったように、あるいは個人の根拠が国家にあるかのごとく個人を語ったように。現にいまでも高校生は、教科書で漱石の『こゝろ』を学んでいる。そうした個人主義の理解は、脈々と受け継がれているのである。

新型コロナウイルスに対応するための日本政府による緊急的な措置は、なんの抵抗もなく国民に受け入れられた。不満をもらす人たちはいたが、法的根拠を問うこともなければ、欧米のようにデモが起こることもない。

これを単に、おとなしくて従順な国民性だとして片づけるのは、あまりに危険である。なぜなら、これこそ民主主義の危機を示す兆候だからである。

ポピュリズムとテクノロジーの共犯関係。それに拍車をかける、危機下における全体主義的な統制——。

そうした民主主義の危機を乗り越え、不条理に対峙していくためには、どうすればいいのか。

答えはもうすでに明らかだろう。これまで述べてきたことの逆をすればいいのだ。ポピュリズムの本質は反多元性にあった。

だとするならば、多様な意見に耳を傾けるようにすればいい。テクノロジーに使われることなく、自らがそれを使いこなすためには、左右されることのない、もう一つのアナログな情報源やコミュニケーションのチャネルを持てばいい。全体主義的な統制から逃れるには、政府に対して批判的精神を持ち続ければいい。

これらは、いうは易し、に聞こえるかもしれないが、ある意味では簡単なことだ。別にお金がかかるわけでも、命を賭ける必要もない。日常を少し変えるだけでできる。しかも三つバラバラにやる必要もない。忙しい現代人に対して、それでは無理難題を押しつけることになるだろう。

たとえば、見知らぬ人と政治について話す機会が、たまにあればいいのではないか。タクシーに乗ったときに運転手さんと話し、美容院で美容師さんと話す、など。いくらデジタルの時代になっても、人間である限り物理的に人と触れ合う時間は必ずある。

つまり、床屋政談を習慣化するということだ。見知らぬ人が、自分と同じ意見を持っているとは限らない。それだけで多様な意見を耳にする機会になるし、世間話で政治の話をすれば、日常に満足している人はあまりいないだろうから、必ずといっていいほど批判的な論調になる。

本当は、そうした公共的対話をする空間が、もっと世間にたくさん存在し、気楽に参加できるようならベストだと思う。でも、そこまで一足飛びにはいかないだろう。だからこそ、床屋政談から始めればいい。いまは、それさえなくなってしまっている。

どうか、若い人が床屋政談などやるわけがないと高を括らないでいただきたい。先に述べた、高校生の主権者教育を目的とした新科目「公共」が、そんな床屋政談の習慣化につながる可能性は大いにある。むしろ大人の方こそ、取り残されることがないように気をつけなければならない。

テイクアウト型リベラリズムへ

いま、民主主義以上に危機が叫ばれているのが、資本主義である。政治よりも経済が重視される世の中の風潮を物語っている。しかし、政治と経済は切り離せない。その証拠に、資本主義の危機が叫ばれ始めてから、同時にリベラリズムの危機も取りざたされるようになってきた。リベラリズムは非常に多義的な概念ではあるが、基本的には自由主義のことを意味するので、資本主義の前提となる思想だといっていいだろう。

だから資本主義の危機は、リベラリズムが危機に陥っている兆候でもあるのだ。金融危機を発端とした2008年のリーマン・ショックあたりから、この問題が明確になってきたように思われる。とはいえ、リベラリズムのオルタナティヴ（代替案）としては、共産主義や全体主義くらいしかないので、なかなか現実的な選択肢にはなり得ない。

そこでいま、リベラリズムもどきの一見矛盾するような体制が噴出している。要はリベラリズムのおいしいところだけを取って、自分たちに都合のいい制度をつくり上げているのだ。イスラエルの歴史家であり哲学者のユヴァル・ノア・ハラリは、

『21 Lessons――21世紀の人類のための21の思考』（河出文庫、２０２１年）のなかでそう指摘している。

リベラリズムがさまざまな側面を持っているのはたしかだ。とはいえ、本当になんでもありなわけではなく、一定の論理的必然性のもとに、いくつかの要素をパッケージのようにしてまとめることができる。たとえば、経済の分野でいうと国内における自由市場、政治の分野でいうと法の支配、個人の分野でいうと個人主義、グローバルな分野でいうと自由貿易であろう。

従来は、程度の差こそあれ、これらをまとめて政策として採用するのがリベラリズムであった。

ところが、リベラリズム全体が信用を失ってしまったことによって、世界各地でポピュリズムやナショナリズムという形の反発が生じ始めた。自分たちのよって立つ伝統文化や宗教などと、リベラリズムのなかの好きな要素だけを結びつけようとしているのだ。

ポピュリズムの多くは、国内では自由市場を促進しつつも、自由貿易には否定的だ。あるいは、自由貿易には積極的だが、法の支配となると途端に消極的になる政府のパターンもある。

もっとも、こうしたタイプのリベラリズムが単なる矛盾した体制だとか、都合のいい寄せ集めだとはいいきれない。アメリカの政治学者フランシス・フクヤマは、『「信」無くば立たず――「歴史の終わり」後、何が繁栄の鍵を握るのか』（三笠書房、1996年）のなかで、リベラリズムの新しい可能性をほのめかしている。フクヤマといえば、かつて冷戦の直後に『歴史の終わり（上・下）』（三笠書房、1992年）のなかでパッケージとしてのリベラリズムの勝利を言祝《ことほ》いだ人物だ。

ところがその後、社会において長い時間をかけて醸成される「信頼」に着目することで、リベラリズムが宗教や文化と共存可能であると論じ始めたのである。その結果、リベラリズムはそれぞれの社会の伝統的要素と結びつく場合に、もっともうまく機能すると結論づけている。

そういう意見を聴くと、寄せ集めも悪くはないように思えてくる。すべてが成功するとはいえなくても、いくつかはうまくいく組み合わせも出てくるだろう。自分の国にも合いそうなら、それをベストプラクティス（最良の例）として採用すればいいのだ。

一見、北欧諸国の社会主義ともとれる資本主義（社会民主主義）に倣おうとする国は多い。彼らは資本主義と社会主義のいいところをうまくミックスしている。たとえ給料の半分以上を税金として取られても、年金がたくさんもらえて老後を豊かに過ごせるなら、所得にかかわらず医療費や教育費（大学まで含め）が無償なら、そっちの方がいいと感じる人は、コロナ後にはもっと増えるのではないだろうか。もしそうなら、自分たちも真似すればいいのだ。

私はこうしたリベラリズムのあり方を、テイクアウト型のアプローチと呼んでいる。つまり、コロナ禍で外食産業が取っているテイクアウトという苦肉の策にかけているわけである。テイクアウトの利点は気軽に自宅や職場で食べられるだけでなく、ある程度、安定したおススメの組み合わせを購入できることだ。

これは、リベラリズムのいいとこ取りと伝統的な文化との組み合わせにも重なる。

どこかの国でうまくいった組み合わせは、真似をする。それこそテイクアウトしてくればいい。

もちろん、日本の組み合わせがお手本になることもありうる。岸田文雄内閣は誕生の当初、成長と分配に重きを置く日本型資本主義への転換を訴えた。これは、日本社会の伝統と合致し、うまくいくかもしれない。日本人は、もともと一方的に儲けたり、人を出し抜いてまで儲けることを良しとはしてこなかったからだ。

ところが、西洋の行き過ぎた資本主義、いわゆる強欲資本主義の波に飲まれ、いつの間にか自分たちの資本主義も変質させてしまっていた。その意味では、岸田内閣が目指すのは、新しい日本型資本主義ではなく、本来の日本型資本主義への回帰なのではないだろうか。

いずれにしても、どんどん試せばいいと思う。結果としてうまくいけばいいのだ。料理のテイクアウト自体、コロナ禍が終わっても根づくかどうか試されているわけだが、テイクアウト型リベラリズムも同様に、一つのスタイルとして根づく可能性はある。

これまでの固定化したリベラリズムではなく、もっと柔軟な政治思想として、時代や環境に合わせて変化していくものであってもいいのではないだろうか。

考えてみれば、これまでもリベラリズムは変化し続けてきた。だからこそリベラリズムはなんでもありだと揶揄されてきたのだ。ただ、それはリベラリズムの柔軟性を意味するものでもある。

正義論とイカゲーム

コロナ禍はいろいろな物事の本性を暴き出した。その結果、かなり見たくない真実があぶり出される結果となった。本当は、あれはいらなかったとか、無駄だったとか――。人間の本性についても例外ではない。

すでにみたように、憎悪をむき出しにして争う醜い姿があぶり出され、健康と経済をめぐる人間の価値観の対立が露見した。しかし同時に、人間が利己主義を乗り越えて助け合える可能性、いわば社会において正義を実現できる可能性もまた明らかになった。

この利己主義と正義の攻防については、人類の歴史において長らく懸案事項とされてきたものである。古くは、古代ギリシアの時代から激しい議論がなされてきた。たとえば、プラトンが『国家（上・下）』（岩波文庫、1979年）のなかで展開した議論もその一つである。

彼は、ギュゲスの指輪として知られる思考実験を用い、人が見ていないところでは皆、利己的になるということを指摘した。

ギュゲスの指輪とは、透明人間になることのできる装置である。たしかに、透明人間になれれば、他者から見えないのをいいことに、悪行を働くのが人間だ。現に、そういうストーリーの本や映画はたくさんある。

周囲の人間に聞いてみても、その状況でいいことをするといった者は一人もいなかった。それが現実なのだ。

だから、プラトンは『国家』の最後の方で、地獄の話を持ち出し、悪いことをすれば地獄行きだと示す必要があることをほのめかした。実際に、それを制度化したものが法律というわけである。究極の法律となろう死刑は、それをいい渡された人にとってはまさに地獄だといえる。そういう抑止力がないと、人は見えないところで悪事を働くことをやめないのだ。そこまでいかずとも、少なくとも正義を実践することはない。

その後、歴史が進むにつれ、この問題については、法の整備、それに伴う罰則の強化という形で解決されてきた。正しい行いは強制されてきたのである。しかし、こうしたアプローチは、悪事を抑止するのには役立っても、困っている人に手を差し伸べるといった善行には無力である。法は善行まで強制することはできないからだ。

これに対して、別の思考実験を用いることで、正義の実現可能性を提起したのが、20世紀の政治哲学者ジョン・ロールズである。彼は公正な分配はいかにして可能かを考えるために、大著『正義論 改訂版』（紀伊國屋書店、2010年）のなかで、無知のヴェールという思考実験を持ち出した。

つまり、格差を是正するため、一番困っている人に多く配分するには、誰もが個人の事情をわきに置く必要がある。それを可能にするのが、自分の事情をわからなくするという無知のヴェールにほかならない。

人が、利己主義を乗り越えて正義を実現するためには、利己的な部分を忘れるしかないというのだ。たしかにそうかもしれないが、問題は本当に忘れることができるかどうかだ。

これは、あくまで思考実験であって、もしできれば、という架空の話にすぎない。しかし私たちが生きているのは、自分の事情を忘れることなど決してできない現実である。

生きるか死ぬかの現実のなかで、どうやって自分の事情をわきに置く余裕があるというのか。人は自分が生きるのに必死なのだ。だから正義はなかなか実現されないのである。

では、自分が生きる必要がなくなったらどうか。

理屈の上からいうと、もはや自分の事情を気にする必要はなくなるはずだ。そんなことを考えていた矢先、ネットフリックスで配信され、世界的にヒットした「イカゲーム」という韓国ドラマが、思わぬヒントを与えてくれた。イカゲームとは、1980年前後に、韓国の子どもたちの間で流行った、イカに見立てた陣地の取り合いをする遊びのことだ。

ドラマの設定はこうだ。地獄のような日常のなかで、お金に困った人たちが、サヴァイヴァルゲームに参加する。そして命を賭けて賞金を手にしようとするのだ。

たとえば、「だるまさんが転んだ」のような子どもの昔遊びをやらされて、動けば射殺されるという恐ろしい設定だ。そんなもう一つの地獄のなかで、なぜか、彼らは正義ともとれる行動をみせる。

それは、サヴァイヴァルゲームの状況では、肩書もなにも通用せず、誰もが同じ境遇にあるということを感じたこと、そして死と隣り合わせという極限状態において、真に正しい行為に気づいたからである。

おそらく、このドラマが世界的に共感を得た理由でもあると思うのだが、この設定は、コロナ禍で地獄をみた私たちの状況にあまりにも似ている。

ウイルスという敵の前に、人類は誰もが同じ境遇に陥り、誰もが死の恐怖に怯えることとなった。

そんな経験をした後、いやがうえにも人は正義に目覚めるはずである。現にコロナ禍においては世界的に助け合いの輪が広がった。初めて、エッセンシャルワーカーの意義にも目が向けられることになった。そして、程度の差こそあれ、多くの国が行き過ぎた資本主義を改めるための議論を始めている。

金融危機が起ころうが、どれだけ格差が広がろうが、誰も真剣に向き合わなかったポスト資本主義の議論が、おかげでようやく始まろうとしている。

ポスト資本主義

冷戦が終わり、資本主義が勝利してからわずか20年も経たないうちに、世界の経済システムに大きな危機が訪れた。

2008年に起こったリーマン・ショックは、資本主義がどこまでも強欲なものになりうることを世界に知らしめ、その危険性を白日の下にさらしたのだ。

実際、強欲資本主義といった言葉も生まれ、行き過ぎた資本主義を見直すべきだとする議論が、盛んになされるようになった。いわゆる、ポスト資本主義の議論である。

しかし、資本主義に代わるシステムなど、そう簡単にみつかるわけではない。現に、その当時叫ばれたのも、かつてのライヴァルであったコミュニズムの復興にすぎなかった。なお、ここでは社会主義とその完成形である共産主義をまとめてコミュニズムと表現する。そのコミュニズムが、もはや非現実的な選択肢であることは誰の目にも明らかだったからか、資本主義はすぐに勢いを取り戻した。

ほかに選択肢がないことが明らかになるや否や、資本主義の横暴ぶりは、その後ますますひどくなったといっていい。それが環境破壊や極端な格差社会を招いてしまったのだ。そして、恐らく新型コロナウイルスによるパンデミックさえも引き起こしたのだろう。

さすがに、今回のパンデミックがあぶり出した不都合な真実は、人々の態度を変えるきっかけになったようである。ポスト資本主義が真剣に模索され始めたのである。

そもそも資本主義の問題は、競争に制限を設けないところにある。だから、事後的なフォローしかできないのだ。いわゆる社会福祉である。しかし、事後的なフォローは、敗者を生み出してから初めてなされるものであり、敗者を生み出さないようにする仕組みではない。

さらに問題なのは、社会福祉はそれに回すだけの財源があってようやく可能になるものであって、景気が悪くなったり、今回のパンデミックのように想定外のことが起きると、十分な手当てができないという難点がある。

これに対してコミュニズムは、事前にフォローするという発想である。最初から、富を公平に分配するようにできているので、そもそも敗者が生じることはない。また、同じように分配するので、全体のパイが小さくなることはあっても、不公平感はないだろう。あるいは、必要とする人に多めに分配することも可能である。

たしかに、冷戦で明らかになったように、コミュニズムには欠陥がある。それは計画通りに生産するのは困難であること、そして汚職が生じやすいことにあった。あるいはモチヴェーションの低下も挙げられるだろう。

しかし、予めそれがわかっているなら、改善は可能だろう。余裕を持たせた計画を立て、それを柔軟に運用すればいい。また腐敗の防止対策をとればいい。モチヴェーションの低下については、もはや問題ですらない。人々は競争に疲れ、辟易してコミュニズムを選ぶという前提だからである。

とはいえ、人々のトラウマはそう簡単には消えない。より積極的な理由や、魅力が必要なのだ。そこに登場したのが気鋭の経済思想史家、斎藤幸平による『人新世の「資本論」』(集英社新書、2020年)である。少なくとも日本では、この本によってコミュニズムの印象はガラッと変わったといっていい。

斎藤は、コミュニズムの生みの親であるマルクスの残した新資料を解明するなかで、実は最晩年のマルクスが、「脱成長コミュニズム」を唱えていたということを明らかにした。

つまり、マルクスは、決して経済成長を目指すことなく、自然環境をも意識して持続可能な社会を実現するような経済の仕組みを考えていた、というのだ。

その中身は、斎藤が挙げる次の５つのポイントを見ればよくわかる。

一つ目は「使用価値経済への転換」である。

本当に、役立つものだけをつくるということである。これまでは、売ることだけを目的に、無駄な物をつくり続けてきた。それが環境にも悪影響を及ぼしてきたのである。

二つ目は「労働時間の短縮」。

これまでは、労働時間を増やす代わりに、賃金を支払うという対応をしてきた。それが、過労死を生んできた背景なのは明らかだろう。だから、労働時間自体を短くすべきだというのである。

三つ目は「画一的な分業の廃止」。

労働時間を短くするだけではなく、そもそも一人ひとりの労働をもっと創造的なものにして、ストレスなく楽しく働くべきだというのである。

四つ目は「生産過程の民主化」。

簡単にいうと、生産手段や技術をみんなのものにする、ということである。これは、従来からマルクスの主張としてよく知られている部分だと思う。

そして最後の五つ目は、「エッセンシャル・ワークの重視」である。

これはまさにタイムリーで驚きなのだが、用語は別として、発想としてマルクスは、私たちが生きるのに不可欠な仕事を重視すべきだと考えていたのである。

ここまで聞くと、もう脱成長コミュニズムに転換してもいいようにも思うのだが、人間の本質はそう簡単に変わるわけではない。冷戦の時にも、地球の半分は頑として資本主義にこだわったのである。

とりわけ、アメリカという自由を第一義として標榜する国は、その急先鋒であった。そして、いまもなおアメリカは世界一の経済大国である。

さらに世界第二の経済大国は中国であり、この国は一見コミュニズムを採用しているようだが、それは政治に関するものであって、経済的には資本主義の権化であるといっても過言ではない。

その両国によって二極化する世界が、そう簡単に経済的な意味でのコミュニズムを受け入れるわけがない。それは、いまだアメリカに追随する日本も同じである。

そうなると第三の道が求められる。事後的なフォローでも事前のフォローでもない第三のフォローが必要なのである。

かつて、社会民主主義が第三の道として唱えられたことがあったが、それはあくまで資本主義をベースに社会福祉の部分を手厚くしようというもので、やはり事後的なフォローであることに変わりはなかった。

そうではない第三の道とはなにか。

フォローでいうなら、事後でも事前でもない。途中のフォローということになる。それはいったいなにを意味するのか。そんなさなか、つい最近、おそらくこの発想に一番近いと思われる思想が提唱された。

ドイツの哲学者マルクス・ガブリエルによる倫理資本主義である。ガブリエル自身は、途中のフォローなどという表現を使っているわけでもなく、また、そういうつもりでもないかもしれないが、個人的には、そのように解釈することが可能だと思っている。

倫理資本主義とは、企業経営に倫理学者を介在させることで、意思決定が倫理に適ったものにするという考え方である。企業に倫理部門をつくって、法務部と同じようにすべての意思決定は、そこを通すということである。

たしかに、こういうことが可能になると、資本主義における経済行為は、いまよりもっと倫理的な営みになるだろう。それが格差の是正や、環境の保全につながることは明らかである。では、なぜ、そのことが中途のフォローになるかというと、手段を問わず過剰に儲けすぎたり、結果として、格差を生み出すようなこともないと思われるからである。

これは生産の前に行われることなので、従来の資本主義下における社会福祉のような事後のフォローではない。かといって、計画経済でもないので、コミュニズムにおけるような事前のフォローでもない。まさに途中のフォローなのである。

問題は、人々の倫理観だろう。いまはまだ、そこまで世の中の倫理に対する意識が高まっているとはいえない。現に、私がこの話をしても、企業のトップたちは懐疑的な目を向けるだけだ。脱炭素と同じで、率先してやると、自分のところだけ損をするのではないかという不安があるのだろう。

それでも、脱炭素もそうだし、そのほかにも企業活動については公益を重視する傾向が高まっている。すでに述べたが、ＳＤＧｓの重視やＥＳＧ投資といった流れは、その証左だろう。消費者が価格でもブランドでもなく、倫理性の高さで商品を選ぶ日はそう遠くないはずだ。

ガブリエルは、次のＧＡＦＡは倫理資本主義を実践した企業から現れるといっている。そうなって初めて、倫理資本主義はポスト資本主義として認知されるようになるのだろう。

そして多くの企業が右へ倣えし始めるのだと思う。社会は大衆によって成り立っており、大衆は率先して世の中を変えようとはしないものだからである。次に、そんな大衆の変化について論じよう。

大衆社会とSNS――「根に持つ」個として

パニックともいうべき、初めての大規模なパンデミックを経験した私たちは、まさに烏合の衆よろしく右往左往し、さまざまな失態を演じてしまった。

現実社会においては、買い占めや感染者差別のような行動に出、ネットの世界においてはフェイクニュースまがいの怪しい情報を信じ、中傷や炎上を繰り返したのである。

おとなしい国民性が幸いしてか、さすがに国会を襲撃することはなかったが、アメリカでは一部のトランプ支持者が議会を襲撃し大きなニュースとなった。そうした時代の空気に呼応してか、フランス革命期の大衆の様子を描いたル・ボンの名著『群衆心理』（講談社学術文庫、1993年）が話題となった。

正確にいうと、ル・ボンが描いたのは群衆の様子であり、大衆ではない。群衆とは、ただの大勢の人々を意味する大衆とは異なり、感情や観念の同一方向への転換を意識している人たちである。

彼は、そのような群衆の本質を危険なものとして描いたのである。なにしろ群衆は破壊力しか持っておらず、社会を混乱に陥れ、バイ菌のように作用するとまでいっている。なぜ群衆は、そのような態度を取ってしまうのか。

一言でいうと、それは単純化を好むからである。わかりやすさを求めるといってもいいだろう。だから、ひとたびカリスマ的な指導者が現れると、たちまち操られてしまうのだ。

この様子は、コロナ禍における私たち自身を重ねて見るとき、いかにも戯画的に映る。私たちもまた、日々単純なメッセージに踊らされ、攻撃的な言動を繰り返していたのだ。よく調べることもなく、ある国が悪いと聞けば猛烈に非難し、若者が悪いと聞けば若者を非難し、ワクチンを打たない人が悪いと聞けば、その人たちを非難してきた。

もちろん政治的な革命とは異なり、カリスマ的な指導者はいないが、現代では誰もがそんな立場になりうる。それがSNS社会の怖さである。かくして、群衆の暴挙は日常的に繰り返される。

ただル・ボンも、だから群衆はどうしようもない、とは思っていない。たとえば、教育によって、群衆も徳性を備えることができると論じている。そうすれば、群衆は社会をいい方向に変える力となりうるのだ。

その可能性について論じているのが、オルテガの『大衆の反逆』（岩波文庫、2020年）である。オルテガは大衆という言葉を使っているのだが、彼のいう大衆もやはりル・ボンの群衆と同じ危険な存在であることには変わりない。

なぜなら、彼の生きた20世紀は、ファシズムあるいは共産主義によって、人々が社会の秩序をひっくり返そうとしていた時代だからである。大衆は、いわば根無し草になってしまっていて、自分で判断することなく、付和雷同的に扇動されるだけの存在だったのだ。

しかし、だからこそオルテガは、大衆がしっかりと自分の根を持つべきことを訴えたのである。

彼の言葉を用いると、「貴族」になることによってそれは可能になる。貴族といっても、身分の話ではなく、あくまで精神的な貴族のことである。精神的な貴族は、真理の探求を欠かすことはないという。おそらくこれが、根を持つための方法なのだろう。

西洋の文脈だけだとわかりにくいかもしれない。日本を例にとろう。政治学者の丸山真男は、よく知られた論稿「『である』ことと『する』こと」のなかで、前近代的で日本的な「である」という価値観と、近代的で西洋的な「する」という価値観を対比している。

わかりやすくいうと、日本では、現代になってもまだ前近代的な「である」価値観を引きずっているため、物事に働きかけて変えようとしないということである。だから、近代的な「する」価値観によって、政治の場面において自由を獲得したり、民主主義を活性化しないといけない、というわけである。

ところが、ことはそう単純ではない。「である」価値観が求められる場面もあるのであって、そこに「する」価値観が入り込むというようなことも起こっている。それに、先ほどの「する」価値観が求められるべきところに「である」価値観が居座る、という現象も起こっているのである。丸山は、これを価値の転倒と呼んでいる。本来、求められるべき価値が転倒しているのである。

その最《さい》たる例は、学問や芸術の世界だという。学問や芸術においては、むしろ「である」価値観が求められなければならないのに、そういう価値の蓄積が行われず、「する」価値観によって、その時だけの実用が重視されてしまっているのである。

そこで丸山は、価値の再転倒を主張する。「ラディカル（根底的）な精神的貴族主義がラディカルな民主主義と内面的に結びつく」べきだ、というのである。つまり、学問や芸術の世界において、しっかりと「である」価値観を確立した個人が、政治の場面において「する」価値観を行使すべきだということだろう。

いい換えると、これは、個々人がしっかりとした根を持つということではないだろうか。奇しくも、丸山もオルテガと同じく貴族という言葉を使っている。学芸によって教養を身につけよ、といいたいのだと思う。

時に、丸山の言説はエリーティズムだと非難されることがある。

たしかに、教養という根を持つことで、個を確立するというのは、そう簡単なことではない。そもそも日本には、個の確立を実現する風土が欠けているように思われる。過剰なまでに、共同体や共同性を重視する国だからだ。そんな風土のなかで個人が変わるのは難しい。

そこで私は、もっと日本人にあった提案をすべきだと考えている。

それは、「根を持つ」のではなく、「根に持つ」ということである。これは、恨んで忘れないという悪い意味で使われる語だが、物事にこだわるという部分だけをとらえると、必ずしも悪いことではない。そこをとらえて転用したい、と思うわけである。

日本人は、勉強によって個を確立していくというよりも、共同性のなかで物事を学び、一人前になっていくのではないだろうか。ものづくりの世界で親方から学ぶように、あるいは伝統文化を、家元を中心に構成された集団のなかで学ぶように。

結局、現代日本の個人が群衆、あるいは大衆に成り下がってしまっているのは、近代的個人になれていないからではなく、共同体の成員として育っていないからだと思うのである。

そこを変えていくためには、ただ過剰なだけで同調圧力としてしか機能していない共同性を、人を育てるための学ぶ共同体に変えていかなければならないのだろう。そうして根を持った、いや「根に持つ」ことができた個人が育ってきたときに、初めて、ようやく私たちは烏合の衆を卒業できるのである。

グローバル社会の「格差世界」

今度は、世界という共同体に目を転じてみよう。

世の中の経済的格差が大きい場合、その社会は格差社会と形容される。しかし、それは一つの国の状態を指すものとして使われることが多い。

そこで私は、「格差世界」という言葉を提案したいと思う。このグローバル社会には、無数の大小の格差が巣食っているからだ。経済格差はもちろんのこと、教育格差や健康格差、男女格差など、枚挙にいとまがない。

もちろん、そのほとんどは経済格差に起因するものである。これは発展途上国や先進国のなかの貧困層に生まれた人たちにとっては、まさに不条理としかいいようがない。政治哲学の世界では、こうした問題はグローバル正義という領域で議論がなされてきた。

簡単に図式化するなら、現実主義的な救済を唱えるリベラル・ナショナリズムと、理想主義的な救済を唱えるコスモポリタニズムの対立である。

リベラル・ナショナリズムというのは、たとえば、その代表的論者であるデイヴィッド・ミラーによると、国家を越える救済義務はないと考える立場である。なぜなら、国家こそが分配的正義などの政治的自己決定をするための基礎的単位だからだ。

したがって、国家を越える義務については、基本的人権における保障などのミニマムなものに限られるという。

これは、グローバリズムやその裏返しであるナショナリズムと軌を一にする考え方であって、実際の世の中は、そうしたミニマムな救済しかなされていないといっていい。いや、ミニマムな救済さえ十分になされていないのが現実である。

これに対して、コスモポリタニズムの方は、国家を越えて、一人ひとりの人間を地球市民とみなし、相互に助け合う義務があるとする考え方である。その時点でもう理想主義に過ぎる、という批判がありそうだが、コスモポリタニズムは、そのような牧歌的なことを無邪気に唱えているわけではない。むしろ先進国の横暴を非難しているのである。

たとえば、イギリスの哲学者ティム・ヘイウォードによると、先進国は、体制的危害ともいうべき危害を発展途上国に対して加えているという。体制的危害とは、世界経済体制に起因する危害である。人類は、限られた生態的空間のなかで共存しているにもかかわらず、先進国がそれを過剰摂取することで、途上国の機会を略奪しているというわけである。

それは人権侵害であるといってもいい。ヘイウォードは健康かつ自律的な生存に適した環境への権利である環境権を、れっきとした人権であるとみなし、その意味で人権が侵害されているというのである。

これは、先進国の人間にとっては、かなり手厳しい指摘であるといわざるを得ない。なぜなら、私を含め多くの日本人は、よもや自分が人権侵害をしているなどとは思ってもみないはずだからである。

しかし、ひとたびそのように認識すると、世界格差のなかで、いまもっとも差し迫った問題であるワクチン格差も、私たちの責任であるかのように思えてくる。世界には、ワクチン接種の機会さえ与えられない人たちがたくさんいる。おそらくは、まもなく普及するであろうコロナ治療薬についても、同様の状況が生じることが予測される。

人々が生き延びるために必要な医薬品にさえ、格差のせいでアクセスできない人たちがいるのだ。しかも、その格差は私たちの人権侵害の結果なのである。では、コスモポリタニズムの主唱者たちは、私たちにどうしろというのか。

たとえば、アメリカの哲学者トマス・ポッゲは、少なくとも10年以上前から、この不公正な、グローバル制度と秩序の改革を行うための具体的な政策について訴えている。その一つに、健康回復基金の創設がある。すべての人が、必須の薬を手に入れることができるようにするための仕組みだ。

具体的には、各国政府が出資することで、こうした枠組みをつくり、そこに製薬会社が登録をする。そして登録した会社は、廉価で薬を販売する代わりに、基金から報酬を得ることになる。

実質的に、先進国の人たちは、途上国の貧しい人たちの薬代を肩代わりすることになるわけだが、それこそが人権侵害の認識に基づいて義務を果たすということになるのだろう。

実際に、ポッゲはアメリカでそうした組織をつくっている。しかし、世界規模でやるには、やはりハードルが高い。世界格差の現実を顧みるとき、コスモポリタニズムの主張は永遠の理想であってはいけないと思う。

そして、これがいつまでたっても理想にとどまってしまうのは、やはり人権侵害の認識に基づく、義務という理論の枠組みによって縛られている点にあるように思えてならない。

世界政府があるならまだしも、現実には、国民国家の集合体にすぎないこのグローバル社会において、人権侵害の認識に基づく義務は、強制の契機を持ち得ないからだ。したがって、もっと先進国を突き動かすようなリアルなロジックが求められるのだ。

そこで視点を変えてみたい。とりわけ、コロナ禍という危機を経験した私たちは、グローバル社会について少なくとも次のことを学んだはずである。

それは、経済格差がパンデミックを深刻なものにし、また長引かせるということである。先進国にとって、その状況は脅威である。だからこそ、リスクを回避する方策を考えなければならないのだ。

そう、このリスク回避、リスクマネジメントこそが、先進国にとっての動機になるに違いない。自分たちを守るための行動が、結果的に途上国を救う。これだとミニマムな救済でお茶を濁すわけにはいかない。実際に、救済しない限りは、自らに脅威が及ぶのである。あえて命名するなら、リスクマネジメント・グローバリズムとなろうか。

一応、世界のための思想なので、グローバリズムになるだろう。リアリズムを前提としているニュアンスも出る。しかし結果は、コスモポリタニズムのいうそれとは変わることはない。

具体的には、健康の分野でいうと、WHOのような既存の国際的な協力の枠組みを強化したり、ポッゲのいう健康回復基金のような新たな仕組みを創設したりする、ということである。

実は、これまでも、世界のどこかで生じた危機は常に先進国にとっての危機であった。ただ、それに気づかなかったのだ。きっと気づこうともしなかったのだろう。それを変えてくれたのが、今回のパンデミックなのである。

これまで、地球が一つになるには、エイリアンの襲来でもない限り無理だ、という言説をよく耳にした。

奇しくも、それが起こったのである。それでもまだ、同じ地球市民だから助け合うというのではない。あくまで自分を守るために手を差し伸べるだけだ。同じ地球市民だから助ける、などという日が訪れるためには、もっと大きな危機が必要なのかもしれない。

そんな日が来ては困るので、好むと好まざるとにかかわらず手を差し伸べようというわけである。どうだろう、リスクマネジメント・グローバリズムを受け入れる気になっただろうか。

戦争と平和

揺らぐ経済・社会を主題とする本章の最後に、戦争についても論じておきたいと思う。これもまた経済や社会を揺るがせる不条理の典型であり、しかも歴史上、何度も繰り返されてきたことだからである。現に、この原稿の校正をしている最中にも、ロシアがウクライナに侵攻し、新たな戦争が始まってしまった。

戦争と聞いて、私がいつも思い出す本は、トルストイの名作『戦争と平和１～６』（岩波文庫、２００６年）である。19世紀のロシアを舞台に、ナポレオンの侵攻によって繰り広げられた戦争と、それに翻弄される人々の様子を丹念に描いた文学作品だ。なぜ、戦争は起こるのか、権力とはなにか、歴史とはなにか、そして平和とは……。そんな大テーマを内に含んだこの名作は、一つの重要な結論を導き出している。

それは、戦争とは、人々の意志が融合されその全体の力によって起こる、ということである。私は、トルストイのメッセージをそう理解している。君主であれ思想家であれ、たった一人の人間がなし遂げるものでは決してない。もちろん今回のウクライナへの侵攻も。つまり、時代をつくる人々の精神がそうさせるのだ。ヒトラーという個人の資質や責任に帰せられがちな、あのナチスの横暴でさえ、当時のドイツ人の精神を反映したものであったのだ。

戦前の日本が、戦争に突き進んでいった様子を思い浮かべてみれば、私たち日本人には、より理解しやすいだろう。あの総力戦は、仮にそれが情報操作や思想教育に基づくものであったとしても、まさに精神の総力戦だったのだ。

だとするならば、現代の戦争はいかなる精神に基づいて行われているのだろうか。フランスの哲学者ブリュノ・ラトゥールが『諸世界の戦争——平和はいかが?』(以文社、2020年)で展開する議論を参照すると、それは近代主義ということになるのではないかと思われる。

近代主義とは、まさに西洋近代に典型的な、自然科学が唯一絶対だとする態度のことである。いわば自分たちの正しさしか認めない態度であって、それゆえラトゥールは単一自然主義とも呼んでいる。

そういう態度でいると、世界で起こる衝突は、すべて近代主義への反発という形でしかとらえられなくなってしまう。つまり、戦争状態であることを認めないという結果につながるのである。

現に、近代主義の現代的表現形式といってもいい、このグローバル社会では、それに対する反発は戦争とはみなされず、テロ行為というレッテルを貼られてしまう。かくして相手側に交渉の余地が与えられることはない。

だからラトゥールは、逆説的に聞こえるかもしれないが、戦争状態にある方が好ましいと主張するのである。戦争であることを認めない限り、争いは一向に解決できないし、平和は訪れないからである。

そのためにラトゥールは、単一自然主義に対して多自然主義という態度を掲げる。

これは、複数の正しさがあることを認めようとする態度である。単一自然主義を前提とすると、正しさの裁定は絶対的第三者がするものになってしまって、どちらか一方が正しいという判断の仕方しかできない。

これに対して、多自然主義の場合、正しさを考えるときに「構成主義」という方法を取ることが可能になる。

物事の正しさを、ゼロベースで一から構成していくということである。かくして戦争状態を認めた後、開かれた態度で交渉に臨む外交官のごとく、お互いに正しさを構成していくことが可能になる、というわけである。

しかも、その交渉の際にラトゥールは、存在論的な問題も棚に上げることなく議論するよう呼びかける。私たちの存在の前提になっている事柄についても、互いの信奉する神や科学に対する考え方のように、お互いの考えを理解するべく努めなければならないのだ。

たしかに、相手の宗教や科学の常識についても受け入れようとしない限り、真の平和はあり得ない。そうしてお互いに「共通世界」をつくり上げていく。それが平和への道だというのである。

その意味で、いま、私たちがつくり上げているグローバル社会は、共通世界ではありえない。それは、あくまで強者によって一方的に築かれたものだからだ。ラトゥールは、こうして戦争状態から平和を構築するための方策について論じようとしている。戦争が防げない以上、いかにそれを交渉によって収めていくかが議論のポイントである。それは徹底した現実主義に基づく理想主義だといっていいだろう。

戦争という現実は、現実主義からスタートしない限り、いくら平和を説いても画《が》餅《べい》に帰するということだろう。その同じ発想から、ラトゥールとは異なり、未然に戦争を予防するための方策を論じたのが、イマヌエル・カントの『永遠平和のために』（岩波文庫、１９８５年）である。

カントもまた、人が戦争をするのは避けられないという現実からスタートし、だからこそ法によって戦争ができないように縛るしかない、という結論に至ったわけである。

さらに、ラトゥールと共通しているのは、支配被支配の構造を生み出しかねない世界国家の否定である。そのような世界国家は近代主義と変わるところがない。

そう考えると、カントの提唱した「国際的な連合」を体現したはずの国際連盟や、その反省のもとにつくられたはずの現在の国際連合が、うまく機能していないのもよくわかるだろう。このいずれもが、強者のつくった強者のための枠組みにほかならないからである。

真の平和は、対等な立場で存在論の次元から交渉を重ねることによって、初めて可能になるのである。戦争という不条理をなくすためには、常に世界規模で、こうした交渉がなされなければならないのである。

第4章　揺れる生き方

不確実性を抱きしめて

すでに何度かＶＵＣＡという言葉を使ってきた。

不確実な時代を象徴するこの言葉は、いまやビジネス枕詞のように多用されている。あたかも否定しがたい大前提であるかのごとくであろう。たしかに、いまの世の中はあまりにも不確実で先が見通せないため、人々は不安な人生を送らざるを得なくなっている。

いい大学に進学し、大きな会社に入れば人生は安泰だといわれていたバブル崩壊前の日本では、その競争に勝ち抜くために必死になって勉強しなければならなかった。私は、まさにその時代に青春期を過ごしたので、何度も人生が嫌になったのを覚えている。

しかし、いまから思えば、その方が幸せだったのかもしれない。少なくともなにが人生の成功で、なにをすれば幸せになれるのかが確実に決まっていたからである。いわば確実時代だったのだ。

それに対して就職氷河期世代以降は、なにをどれだけやればいいのかわからない時代、なにが正解なのか不確実な時代、それは努力さえむなしく感じてしまう絶望の時代だといってもいい。

そんななかで強く生きていくためには、もう不確実であることを肯定するよりほかないだろう。

昨今、ネガティィヴ・ケイパビリティという言葉が巷《ちまた》で聞かれるようになったのには、そうした背景があるように思われる。

ネガティィヴ・ケイパビリティとは、19世紀初頭のイギリス・ロマン主義の詩人ジョン・キーツが唱えた概念である。日本語では消極的受容力などと訳されたりする。一言でいうと、不確実なものや未解決のものをそのまま受け止める能力のことだ。もともとキーツは、詩人や作家の取るべき望ましい態度として、このネガティィヴ・ケイパビリティについて論じていた。

詩などの文学的表現には、可能性あるいは余韻みたいなものが求められる。拙速に答えを出すのなら、わざわざ文学にする必要はない。しかし、逆にこうした態度を、文学以外の日常に適用してもいいだろう。実際、ネガティヴ・ケイパビリティは、その後、精神医学などに応用されていった。

どうすればいいかわからないときには、あえて自分を宙ぶらりんの状態にして、時期を待つのだ。それは決して、不確実なままで終わらせることを意味しない。あくまでタイミングを待つための戦略である。

不確実ななかで、拙速に答えを出して不安にさいなまれるよりも、あえて可能性を残すのだ。その方が希望を持って生きることができるに違いない。まだ、決めていないだけなのだ。不確実性に脅かされながら生きるより、不確実性を抱きしめて生きた方がいい。

もっとも、不確実性を抱きしめて生きることは、耐えるというのとは違う。それはまだ不確実性に脅かされた生き方だ。そうではなくて、心からその宙ぶらりんの日常を楽しめなければいけない。

はたして、そんなことができるのかと思われるかもしれないが、古代ローマの哲学者エピクテトスは、見事にその手本を示してくれている。奴隷の身分に生まれたエピクテトスは、いやがうえにも宙ぶらりんの人生を歩まざるを得なかった。あがいたところで、自由民になれるわけではない。奴隷というのは、主人のご機嫌一つで命さえ奪われてしまう不確実な日常を生きている。それでも彼は、幸福な人生を送ることができた。なぜか？　それは、欲望をコントロールする術を知っていたからである。

エピクテトスの哲学は、いわゆるストア派に属する。つまり禁欲主義である。しかし、俗にいう我慢するだけの禁欲主義とは異なり、ストア派が唱えた本来のそれは、あくまで心を平穏に保つための思考法であって、むしろ満足しながら欲望を抑える方法なのだ。

象徴的なのは、エピクテトスが描いている宴会の例だ。古代ローマの宴会では、一般に料理が順番に回ってくる仕組みになっていた。中華料理の回転テーブルの人間版のようなイメージだ。そんな時、まだ自分のところにこない料理を遠くから眺めていても仕方ないというわけである。それでは我慢するだけになってしまう。

だから彼は、近くにある手の届く料理をとればいいというのだ。そうすることで満足することができる。それでは妥協だという人もいるかもしれない。しかし、心から近くにある料理を食べたいと思えれば、それはもはや妥協ではなくなる。

エピクテトスには、それができたのだと思う。彼は、遠くから欲望を投げかけるなといっているが、欲望をあきらめろとは一言もいっていない。そうではなくて、近くから欲望を投げかけるよう訴えているだけなのだ。だから妥協ではなく、視点を変えることを説いているといっていいだろう。

手に届くもので満足できたら幸せじゃないか、と。世界はとらえ方次第でいくらでも変わる。大事なのは決めつけないことだ。これでないと満足できないとか、こうすれば必ず幸せになれるとか、そんなことは誰にもわからない。自分の気持ちだって変わるはずだ。

ましてや、この不確実な時代に、決めつけは悪でさえある。今日いいと思ったことが、明日は間違いになる可能性だってあるのだ。なにしろ、いい悪いと決めるための前提が変わってしまうのだから。

だとするならば、いま手に入るもので満足しておくのが一番いい。不確実さを抱きしめつつ幸せになるというのは、そういうことなのではないか。これはまた刹那的な生き方とも異なる。

刹那的であるというのは、その瞬間さえよければそれでいい、という生き方をいう。不確実さを抱きしめる生き方は、その瞬間さえよければいいとは考えない。もっと戦略的で長期的視野を備えている。

たしかに、いま手に入るもので満足するという部分だけでとらえると、刹那的に見えるかもしれない。でも、実は、料理が回ってくるのを待っているのだ。ただイライラしながら、我慢しながら待つのではない。満足しながら待っているのだ。その料理が目の前に現れたときには、それはもう手の届く欲望になっている。

その意味では、不確実性を抱きしめて生きるというのは、待つことなのかもしれない。現代人が忘れてしまった大切な行為の一つだ。スピードこそが価値あることだとみなされる時代になり、なにもかもが予測されるようになって、より速く、より確実にすることが追求されてきた。そんななか、待つことは時代錯誤なだけでなく、悪であるかのように扱われてきた。待たされるなんてとんでもない、と。

しかし、不確実な時代にあって、拙速に物事を進めるのは賢明とはいえない。かといって、あきらめるのはよくないだろう。だとするならば、待つのが最善ということになる。

奇しくも、高速で物事を判断するためにコンピューターを駆使する時代に、それを突き詰めることで不確実な時代が到来してしまった。そうした問題への対処法は、コンピューターシステムが普及する前の時代に私たちが謳歌していた「待つ」という営みだったのだ。

たとえば、私が青春期を過ごした80年代。あのころ、人は皆待っていた。いつ来るかわからない恋人を何時間も待っていたのだ。携帯電話もなかったのだから仕方がない。だけど幸せそうだった。ハラハラドキドキする感覚を味わうことができたからだろう。かくいう私もそうだった。待つことで、会えた喜びは増幅する。喜びを味わうためには、それを実感するゆとりがなければならない。よく喜びの実感が湧かないという表現を耳にするが、それはなにが起こったのかを考え、受け止めるだけのゆとりがないからである。

待つという時間は、人にそのゆとりの可能性を与えてくれる。現れるべき人が予定通り現れたとしよう。それは嬉しいかもしれないが、当たり前の事態なのだ。本当に嬉しいのは、待つことによってハラハラドキドキして、その後に、その人が現れた時である。そう考えると、不確実な時代も悪くないように思えてこないだろうか。

自己肯定感を高める

世の中がいくら不確実でも、自分さえしっかりしていれば動じることはない。その意味で、自己肯定感を高めることが必要である。そもそも自己肯定感とは、文字通り、自分を肯定することである。いい換えると、ありのままの自分を受け入れることにほかならない。

にもかかわらず、とりわけ日本ではいま、多くの人がそんな自己肯定感を失っているという。その背景には、社会が高い基準を設定しがちなのに加え、それに合わせなければならない、という日本独自の悪しき集団心理が横たわっているといっていいだろう。

たとえば、ルッキズムはその典型だ。外見を理由とする偏見や差別を意味する言葉で、要するに見た目重視の偏見に満ちた考え方である。

外見で人を判断することによって、見た目がいい人は得をし、そうでない人は損をするという事態を指す。もちろんそれは許されるべきことではない。皆わかっているはずなのに、視覚情報に頼る人間という存在は、どうしてもルッキズムになびきがちである。

だから気にせず、ありのままを受け入れる態度でいられればいいのだが、人はそんなに強くない。どうしても他人と比べてしまうものだ。また、自分らしくあるように強要するのも酷だろう。そもそもイケメンだとか美人という言葉はなくなることはない。それは十分ルッキズムなのだが、皆がそれを求めているのだ。

そう考えると、無理なダイエットをしたり、整形に走るというのも、やむを得ない行為であるように思われる。いや、それどころか、最近は人間拡張という概念も出てきており、スウェーデン出身の哲学者ニック・ボストロムのように堂々とトランス・ヒューマニズム（超人間主義）を掲げる者もいるくらいだ。

いまや、科学や医療の進化のおかげで、人類は身体能力を飛躍的に拡張する可能性を持つようになった。だからボストロムは、医療の進化と同じで、完璧な肉体や高度な認知機能を持つなど、人間自身が進化することはよいことであるとして、人間拡張の考え方を推進しているわけである。

しかし問題は、自己肯定感は、身体を変えることで得られるものばかりではないという点だ。いくら科学や医療が進化しても、得ることはできないのだ。整形や人間拡張で変えられるなら、外見の話なのだから、ある意味で簡単な話だ。

人間が厄介なのは、心を持つ存在だという部分にある。しかも、形のない心の方が主導権を握っている。心の持ち方を変えないことには、先に進めないケースが多々ある。

かつての私もそうだった。プライドが高く、常に高い目標を設定してしまっていた。実力がそれに見合えばいいのだが、努力の少ない割には無理な目標設定をして、さらにたちが悪いことには、そのこと自体に満足を覚えていたのだ。

ところが、そんなことでは、いつまでたっても目標を達成することができない。労せずして有名になろうとしたり、労せずして司法試験に合格しようとしたりしていたのだが、その結果、私が手にしたのは挫折の二文字だけだった。やがて自己肯定感を喪失し、気づけば引きこもりになっていた。

もしあの時、ハンガリー出身の思想家チクセントミハイのフロー体験の概念を知っていたら、少しは違う行動をとっていただろう。フロー体験とは、自分がやっていることに没入することで、高揚感を得られる状態である。ある意味それは、自己肯定感を持つ状態を維持することだといえる。

そのためには、チャレンジとスキルのバランスがとれている状態を保つ必要がある。そうすれば、日常的に没頭できるはずだ。無理なことをして挫折してばかりだと、チャレンジするのが嫌になってしまう。簡単すぎるのもよくない。ちょっと頑張れば越えられるハードルを、いかに設定できるかがカギを握る。

常に、そんなちょうどいいハードルを設定できれば、フロー体験を味わい続けることが可能になり、自己肯定感に満ちた人生を送れるというわけである。

結局、人が自己肯定感を持って生きていくためには、トランス・ヒューマニズムのように身体ばかり変えようとしてもだめで、心を変えていく必要があるのだ。でも、だからといってマインドコントロールを勧めているわけではない。

むしろ、うまく自分の心をコントロールできる環境を整えることで、自然に自己肯定感を高めていこう、といいたいのだ。あたかも自然を見ることで、心が洗われたり、落ち着いたりするように、自分にとって快適な環境に身を置くということである。

過酷な環境に身を置く必要はまったくない。新自由主義的な世界では、それが求められたのかもしれないが、過剰な競争を肯定することによって、自己肯定感は反比例的に損なわれていった。

したがって今後は、トランス・マインドのスタンスで、上手に人生のハードルを設定していくべきなのだ。幸か不幸かコロナ禍で経済活動は停滞した。やがてまた再開するのだろうが、少なくとも、働き方をはじめ既存の世の中の仕組みを見直す機会にはなった。

競争して勝つだけが人生ではない。それよりも生き生きと日々を過ごすことの方が大事だ。そのことに多くの人たちが気づき始めている。

誰もが立ち止まって、自分に向き合う時間を持てたのだから、あの退屈な自粛生活も無駄ではなかったといっていいだろう。ただでさえ変わるためには、アメリカからの圧力という黒船が必要なこの国に、外からの圧力のせいで重い腰を上げざるを得ないという意味においては、グローバル規模での黒船がやってきたといっていいだろう。

さて、あなたはどのように今後の目標（ハードル）を設定するだろうか?。

以前のように高いハードルを、しかも同じ数だけ並べる必要はまったくない。自分の飛びやすいハードルを、飛び越えることが喜びにつながるようなハードルを並べればいいのだ。いま、ようやく自信を持って生きられる世界が訪れようとしている。胸を張って生きていこうではないか。あなたはそのままで十分素晴らしいのだから。

丸いからこそコロコロと転がれる

そもそも人が悩む場合、その多くは人間関係に原因がある。というか、これは私の実感でもある。

なぜ、イライラするのか、なぜ、落ち込むのか……。それは仕事がうまくいかないとか、家族や友人ともめたとか、そういう理由からであることが多い。

私たちは無人島に住んでいるわけではないのだから、独りで物事が完結することなどほとんどない。そうすると、なにをするにしても自分以外の他者が絡んでくる。その他者のせいで、自分の思った通りに物事が進まない事態が発生するのだ。それがイライラしたり、落ち込んだりする原因になる。そういう状況を「人間関係」と呼ぶのだ。人間関係がどうなのか具体的にいわなくても、この四文字で状況がわかってしまう。それほど、人間同士の関係というのは厄介なものだということである。

そう、私たちが日ごろ、この言葉を使うときは、特別な意味を込めている。単純に人間同士の関係性のことをいっているわけではないのである。特別な意味、基本的にはネガティヴな意味を込めているといっていい。

コントロールすることのできない他者に、苦しめられている関係である。とはいえ、他者の方は、必ずしも相手を困らせてやろうと思っているわけではない。これもまた、私の体験に基づくのだが、ある日突然、会議における私の態度の悪さに対して出席者から苦情が寄せられたことがあった。よもや、自分が誰かを困らせているなどとは思ってもいなかった私は、思わずハッとした。会議を取りまとめていた私は、ただ単に結論を統一しようとしていたのだが、それが人の意見を軽視し、抑えつけているととられたのである。もちろん、そんなつもりは毛頭なかったにもかかわらず……。

私たちは、自分が正しいと思うことを普通に発言し、行動しているだけで、それが誰かにとっての「人間関係」の原因になってしまっていることがあるということだ。このことをうまく説明しているのは、フランスの社会学者ブルデューによるハビトゥスという概念だろう。

彼は、この言葉を傾向性という意味で使っている。簡単にいうと、人が生まれ育った環境によって形成される性質のようなものである。誰もが自分のハビトゥスを有しているので、知らず知らずのうちに、そのハビトゥスの価値を高めるような言動をとってしまうのである、と。

たとえば、私は関西で生まれ育ち、社会人になってからはずっと非関西圏で生活している。するとやはり、無意識のうちについ関西を讃えるような言動をとってしまっているのだ。

ブルデューにいわせると、それは象徴闘争という行為であって、ある種やむを得ないものである。いま風の言葉でいうなら、マウントを取ろうとしてしまうのが、生き物である人間の性《さが》なのだろう。

問題は、自分が正しいと思い込んでいる他者と、どう付き合っていけばいいかである。これには二つの態度が考えられるだろう。

一つはペシミズム（悲観主義、厭世観）的な態度である。つまり、あきらめるということである。ドイツの哲学者ショーペンハウアーがペシミズムの典型なのだが、彼は人間関係についても、細心と寛容を使い分けよ、と説いている。いわば、よく観察して、相手のどうしようもない部分については受け入れるしかないということである。

それが、簡単にできれば苦労しないのだが、ショーペンハウアーはトレーニングすることは可能だという。石を相手に話しかけろというのだ。たしかに石にいくら話しかけても、説得しても、態度が変わることはない。石とはそういう存在だ。ある意味で、他者とは石と同じように、変えることのできない存在だからといいたいのだろう。

たしかに、このトレーニングは役に立ちそうである。

私たちは相手も同じ人間だから、きっとわかるはずと思い込んでいる。しかし、人間は変わりうるという前提が、そもそも間違っているのである。相手は石だと思えば、見方も違ってくるはずだ。

もう一つの態度は、他者とすり合わせを行うというものである。いや、正確にいうと、他者は変わらないのだから、自分が勝手にすり合わせを行うということだ。これには、ドイツの哲学者ディルタイの生の哲学が参考になる。彼は人生における体験を重視した哲学者である。

私たちは体験を通して、自分の価値観をテストすることになる。人と意見がぶつかる、というのもその一環だ。自分のモノサシを、他者のそれと突き合わせることで初めて、違いが明らかになる。そうやって他者を理解していくわけである。

ここで気づくのは、ショーペンハウアー的態度もディルタイ的態度も、ベクトルは違う方向を向いていても、共通している点があるということである。

前者は、あきらめという後ろ向きな態度であるように見えて、しかし自分の他者に対する見方を変えようとしている。後者は、すり合わせという前向きな態度でもって、やはり自分を変えようとしているのである。

したがって、いずれも自分を変えようとしている点では共通している。考えてみれば、これは当然のことで、他者が変わらないなら、変えられないなら、自分が変わるしかない。その方法が若干異なるだけなのである。

後ろ向きに変わるか、前向きに変わるか、である。

私自身は後ろ向きでも前向きでも、どちらでもいいと思っている。というよりも、状況に合わせてコロコロと変わればいいのだ。前後に転がってもいい。コロコロと態度を変えるというと、なんだか悪いことのように聞こえるが、そうともいえない。

もともとコロコロという表現は、丸いものが転がるさまからきている。丸いから転がるのだ。これを性格に当てはめると、とたんにいい意味になる。人間が丸くなったとか、丸い人だとか――。それは性格の面での柔軟性を指しているはずだ。

世の中に不条理なことが増え、人々がギスギスしてくると、なおさら対立しがちになる。そんななかで「人間関係」をうまく築き上げていくためには、自分が丸くなるのが最善なのである。日和見主義といわれようと、右顧左眄《うこさべん》といわれようと、それすら気にしないのが丸い性格である。

いまの時代は、そうした性格があらゆる場面において求められているような気がしてならない。たとえば、2000年代のヒルズ族のように、尖った性格が求められた時代とは前提が異なっているからである。そんな尖った性格が求められた時代には、人々は対立することを奨励さえされた。ディベートをするスキルが求められていたのは、その証左だろう。

おそらくその背景には、正しい価値観が予め前提されていて、それを追求すべきだとする空気があったのだと思う。でも、いまはそうではない。正しい価値観など予め前提することはできないのだ。

この不確実な時代にあっては、むしろ相手の意見に合わせつつ、共に前に進んでいく柔軟な態度が求められるのだ。だから、ディベートよりも対話の時代だといわれるのである。

そして対話には、尖った性格よりも丸い性格が求められる。目的は他者を倒すことではなく、他者とうまくやっていくことだからである。

一緒に、コロコロと転がっていけばいい。そういえば、コロコロという語は、笑い声が響くさまを形容するものでもある。他者は変えられないが、自分が変わることで、ネガティヴなニュアンスを帯びた「人間関係」という言葉の意味も変えられるはずだ。コロコロと笑いながら、共に進んでいく関係を意味する言葉として。

ヘーゲル的な僕らと、ヘルダーリン的Z世代

これからの生き方を考えるうえで、特に着目したいのは10代から20代前半の若い世代だ。

もちろん、高齢者や中高年の生き方も大切だが、50を過ぎた自分も含め、半世紀以上も生きてくると、もうなかなか変わるのは難しい。経済、政治、パンデミック、自分を取り巻く環境がどうであれ、どうしても逃げ切ろうという発想が強くなる。だから、そんな人たちに期待してもあまり意味がない。これからの社会を変え、牽引してくれる若い世代に目が行くのは当然の流れだろう。とりわけZ世代と呼ばれる、いまの10代から20代半ばくらいまでの人たちは、これからの日本社会を担う新世代として期待されている。

Z世代とは、アメリカで誕生した世代の区分けの一つである。X（1960年～70年代生まれ）、Y（80年～90年代生まれ）、Z（90年代後半～2000年代生まれ）の区分けがなされていて、それぞれジェネレーションX、ミレニアル世代、Z世代と

呼ばれる。それが日本でも適用されているのだ。

Z世代が、それ以前の世代と圧倒的に違うのは、働き方や人生に対する価値観であるように思われる。一つ前のミレニアル世代やその前のジェネレーションXは、皆必死に働き、成功を目指していたように思う。私自身、ジェネレーションXあたりに属するわけだが、やはり働いて人から認められ、何事かを成し遂げるのが人生だといわれ続けてきた。

だから働き方改革が叫ばれ、残業が否定されると、ふと昔が懐かしくなったりしてしまうのだ。決していいとは思わなかったが、少なくとも自分が若い頃は全然違ったのになぁ、と。あるいは、コロナ禍でテレワークなどが主流になると、さすがにとまどいさえ覚えてしまう。私の周りにも、そのせいで職場の飲み会がなくなったことを嘆いている同世代の人はたくさんいる。

これは、近代的な労働観の残滓《ざんし》（前の時代の名残り）といっていいだろう。洋の東西を問わず、近代というのは、そういう時代だった。哲学の世界でいうと、近代ドイツの哲学者ヘーゲルが見事にそのモデルを定式化してくれたといえる。ちょうど、18世紀半ばから19世紀にかけて起こった第一次産業革命の時期である。

ヘーゲルは、個々人ががむしゃらに働くことで「ひとかどの人物」になり、承認を得ようとしていると説いた。まさにその通りだ。近代以降、人はひたすら働くことで、社会から認められたいと願ってきたのだ。


ところが、Z世代は違う。彼らは明らかに違うものを求めているようにみえる。『Z世代──若者はなぜインスタ・TikTokにハマるのか？』（光文社新書、2020年）の著者原田曜平によると、Z世代は、物心ついたころからスマホを手にしており、自己承認欲求や発信欲求が強いのが特徴だという。

たしかに、彼らのSNSによる発信力は半端ではない。まさに人気の芸能人並みだ。「映《ば》える」ビジュアルにこだわり、巧みにバズらせる彼らのセンスは脱帽ものである。

だからこそ、多くの企業もZ世代のSNSでの発信力に着目しているのである。

もっとも、自己承認欲求が強くて、よく発信するといっても、それ以前の世代の人たちに比べると、繊細な一面もあるという。

過剰な発信へのこだわりは、孤独への恐怖や自己肯定感の欠如の裏返しなのかもしれない。どうやらこの二面性が彼らの特徴らしい。

Z世代は、とかくマーケティングの対象あるいは発信力のある存在として論じられることが多いが、決してそれだけではない。世界に目を転じれば、気候変動に強い関心を持ち、果敢にデモに参加して声を上げているのは、この世代である。スウェーデンの環境活動家、グレタ・トゥーンベリはその象徴であろう。

多感な彼女らが、流行だけでなく社会問題にも敏感なのは当然といえば当然だ。欧米では、若い頃から学校や家庭で政治の話をするのが当たり前だからだ。残念ながら、そういった文化のない日本では、世代にかかわらず社会問題や政治への関心が薄い。それに比例して、Z世代の活動も鳴りを潜めているが、ひとたびなにかのきっかけで火がつけば、そのポテンシャルは大きいといっていい。なにしろあの発信力である。

したがって、Z世代を単なる新たな消費者にしてしまうか、社会全体の牽引役として育てるかは、私たち次第なのである。

そんなZ世代の特徴を見て思い出すのが、近代ドイツの詩人であり哲学者のヘルダーリンだ。奇しくも彼は、先述のヘーゲルの友人であり、そのヘーゲルとは対照的な人生を送った人物であった。

働くことで認められる、右肩上がりの社会を象徴したヘーゲルに対して、ヘルダーリンは、詩人らしく悩み多き人生を送ったことで知られる。繊細さゆえに葛藤し、それでも詩を発信することをやめなかった苦悩の人生が、不思議とZ世代と重なる。Z世代が真の牽引役になるように、そしてなにより、彼ら、彼女ら自身が生きがいを持って人生を歩んでいけるように、ここでヘルダーリンの哲学を参考に考えてみたいと思う。

ヘルダーリンは、詩のあり方と人間の生き方を似たようなものとしてパラレルにとらえていた。彼にとって詩とは、「根源的な幼児状態」から出発し、「対立する諸々の試み」を経て、ようやく「本来的に生きることを開始する」ものであった。

つまり、自分のなかにあるものが、外部の素材との対立を経験することで、初めて本来の自己の表現となる、ということであろう。

この三段階を経ることによって、人は詩的精神を手にすることができるのだ。それは創造的反省とも呼ばれるもので、言葉を生み出す過程でもある。ヘルダーリンは、そうしたプロセスと、人間が生きるということとは似ている、というのである。

たしかに、人は外の世界にあるものと対立しない限り、本来の生を自覚することはできない。私も経験があるが、外の世界を恐れて引きこもっていては、いつまでたっても人生のよさを知ることはできないのである。

このヘルダーリンの議論をZ世代に当てはめると、どうしても対立の部分が弱いように思えてならない。過剰な承認欲求は、傷つくことを恐れ、異論を遠ざけてしまう。だから「いいね」以外は寄せつけないのである。その結果、不満や怒りは、匿名が保障された安全圏での一方的な攻撃として表出することになる。

そうした歪んだ生き方を変えていかない限り、Z世代が早いうちから社会を牽引していくことはないだろう。そしてまた、彼ら自身の幸福な人生が約束されることもない。

だから、ヘルダーリン的な対立の契機が求められるのである。

あえてぶつかりながら、さまざまな事柄を試しながら前に進んでいくようにすべきだと思うのである。まっすぐにではなく、ジグザグに。

そう、Z世代のZは、単にXYの続きなんかではなくて、ジグザグの頭文字なのだ。

旧来の価値観や常識とぶつかり合いながら、VUCA時代という背景も相まって、トライアル&エラーの繰り返しのなかで転職を何度も経験し、たくましく前に進んでいく世代であってほしい。

それは従来のまっすぐ世代とは180度異なる。まっすぐ世代とは、ジェネレーションXのように経済成長のおかげで右肩上がりであったり、ミレニアル世代のように経済成長率がほとんどゼロであったりするものの、とにかく進むべき道がまっすぐだった世代だ。ヘーゲルの歴史観が右肩上がりの発展史観であったのはその証左だろう。

Z世代は、そうした前の時代のまっすぐ世代とは違う生き方をしていることを自覚する必要がある。それができたとき初めて、ヘルダーリンのごとく、本来の自己を表現する言葉を発信することができるようになるのではないか。

いまのように、SNSのなかだけで充実した日常を取り繕うだけの生き方を改め、真の充実した毎日を語る言葉を持てるような気がするのだ。

せっかくの発信力を、対立を避け、自分を偽るためだけの虚飾のツールにしてしまってはいけない。社会を牽引し、充実した生を送るための檄文に変えるべく、ぜひ勇気を出してもらいたい。

親ガチャと反出生主義

Z世代は、おそらく、自分たちが不幸な時代に生きていることに気づいているのだろう。親、あるいは親の親の世代から、右肩上がりの高度経済成長の時代やバブル経済の狂乱ぶりの話を聞かされると、どうしても、いまと比較してしまう。

境遇に恵まれない人ほど、この時代に生まれたことを恨んでいるに違いない。それを象徴するのが昨今SNSで話題になった「親ガチャ」という言葉である。どの親の下に生まれるかで、人生が決まってしまううえに、その親は偶然によって決まるのだから、あたかもガチャガチャのようなものだといいたいわけである。なんともショッキングな表現だ。これもZ世代的な感性なのかもしれない。ただ問題は、この言葉の響き以上に、彼らが人生を嘆いている部分にある。たとえガチャガチャでも、どの結果も「当たり」なら、なにも問題はないはずだからだ。つまり、「外れ」がほとんどであること、そして、その結果に嘆いているという点に着目しなければならない。

実は、この問題は、反出生主義という分野で昔から議論されてきた。「生まれてこない方が良かった」とする考え方である。

最初に、こうした考え方を体系化したのは、ドイツの哲学者ショーペンハウアーだといっていいだろう。

彼のペシミズムは、欲望の苦悩から解放されるために「生への意志」を否定するくというものであった。とりもなおさずそれは、生まれてきたことの否定へと結びつく。あるいはショーペンハウアーの影響を受けた同じドイツの哲学者ニーチェも、その系譜に位置づけることができる。彼は、生の苦悩を味わうくらいなら、人間はこの世に生まれてこない方が良いとする古代ギリシアの厭世観を称揚しつつ、生きる苦悩を、存在しないことで解消する方向に持っていこうとした。

近年だと、南アフリカの哲学者ディヴィッド・ベネターが、『生まれてこないほうが良かった――存在してしまうことの害悪』（すずさわ書店、2017年）というタイトルの本を出して、この議論が一般にも知られるようになった。ベネターの主張の骨子は、生まれてくると必ず苦痛を経験するなら、人間は生まれてこない方が良い、とするものだ。

ベネターは、生まれてくることの苦痛と快楽を緻密に比較し、あくまで論理として、そのような結論を導いているのだが、それは実際のデータにも合致しているという。彼自身が指摘するところによると、たとえば、毎日、約2万人が餓死し、毎年、事故によって350万人が死に、2000年には81万5000人が世界中で自殺しているのである。

したがって私たちは、いわば道徳的義務として、避妊や人工妊娠中絶をすべきで、さらには、段階的に人類を絶滅させていかねばならないとまで主張する。

極端な発想だと思われるかもしれないが、反出生主義には一定の賛同者がおり、またこの思想自体が、文学などさまざまな領域で影響力を持ちつつある。反出生主義は明らかに時代の風潮に即しているのだ。

しかし、このような誕生否定の発想には、どうしても釈然としないものがある。親の当たり外れがあるからといって、誕生そのものが害悪だと決めつけるのは、どうも論理が飛躍しているように感じるのだ。

そうした観点から、ベネターの誕生否定の哲学を批判しているのが、『生まれてこないほうが良かったのか?――生命の哲学へ!』（筑摩選書、2020年）の著者、森岡正博である。森岡は、ベネターの考えが論理的に誤っていることを指摘する。

人が存在することの善悪と、人が生まれてくることの善悪は異なるにもかかわらず、ベネターは前者が善であれば後者も善となり、前者が悪であれば後者も悪となる、と考えている。しかも、その因果関係を論証していないのだ。

森岡にいわせると、悪から善が生成することは必ずしも善ではなく、善から悪が生成することも必ずしも悪ではない。だから、存在に対する善悪の価値判断と、生成に対する善悪の価値判断は、まったく別の次元で考えなければならないというわけである。

そのうえで、森岡自身は誕生肯定の哲学を提案している。誕生肯定とは、生まれてきて本当によかったと心の底から思えることを意味している。

そのためには、まず心理学的な次元において、「私の生きる現実世界」と「可能世界」の善悪を比較し、それでも現実世界の方がいいと思う必要がある。さらに、「生まれてきたこと」と「生まれてこなかったこと」の善悪を比較し、たとえ「生まれてこない方が良かった」という結論になったとしても、その思いを解体する道筋を探していく態度が求められる。

もっとも、あくまで、これは心理学的な次元の話である。そういう思いを心に持つということにすぎない。

森岡は、これが本当に正しい考察になっているのかどうかについては、哲学的な次元において検討しなければならないという。

そうすると、「私が生まれてこなかったこと」を正しく想定するのは原理的に不可能なので、そもそも、そのような事態と比較すること自体が誤っているということになる。つまり、「生まれてこない方が良かった」というのは、誤りによってつくり出された考えであるという結論になる。

そのうえで、再び心理学的な次元において、自分の人生をどうとらえ直せばいいのか、改めて考えていくことができるというわけである。

非常に複雑な論理であるが、理屈上は、そうやって誕生を肯定する道は開かれていることがわかるだろう。しかし、最終的にはやはり心理学的な次元において、それでもいまの人生がいいと思わないことには、誕生を肯定することはできない。親ガチャは克服できないのである。

誕生肯定の哲学では、その動機の部分が人それぞれの人生に委ねられているように思われる。そうすると、人によって、つまり環境や、あるいはその環境をどうとらえるかという主観によって、親ガチャかそうでないかが変わってくる。つまり、人によっては「生まれてこない方が良かった」と、誕生を否定してしまう可能性があることになる。

そもそもこの問題は、誕生を肯定できるかどうか、それとも否定してしまうかという二者択一を迫ったところから生じているように思えてならない。むしろ、そのアポリア（行き詰まり）を超克するためには、別の視角から誕生をとらえる必要があるのではないだろうか。

そこで私は、「誕生前提の哲学」を提起したい。誕生を肯定でも否定でもなく、前提と考えるのだ。

当たり前のようだが、この場合の前提は、哲学的な次元のそれである。近世フランスの哲学者デカルトが絶対疑い得ない確実なものを求めて、意識を特権化したように、人間の存在に関して決して疑い得ない極北を設定するのである。それが、ここでいう誕生という前提にほかならない。

そうすると、人間が生まれてくるのは前提であり、そこからしか物事は考えられなくなる。「生まれてこない方が良かった」などということは、原理上あり得ないのだ。生まれてきた時点からしか、存在について語ることはできない。これは私が、生まれてこなかった世界を想定できないということではなくて、人間一般について、生まれてこなかった場合の話は想定できない、ということである。

いや、思考実験としては可能だというかもしれない。しかし、それはあり得ない以上、人が後悔したり、親を恨んだりする根拠にはなり得ないのだ。

この考えに基づくと、誰一人として「生まれてこない方が良かった」などという非論理的で馬鹿げたことをいうことはできず、親ガチャなどという事態も誰にも当てはまらないのだ。

たしかに、どの親の下に生まれるかは運に委ねられるが、それについて善悪を議論する余地はない。

ただガチャガチャがあるのみだ。親ガチャと違い、ガチャガチャは人をワクワクさせる。誕生はワクワクした気持ちのみによって形容され、祝われる。

子どもは生まれてきた瞬間に、この宇宙全体から祝福を受ける。その生命の誕生の瞬間だけは、誰も非難することはできない。その後の人生の苦難は、生きるうえでの試練であって、誕生とはなにも関係がなくなるのだ。

むしろ問われるべきは、生まれで人生を決めてしまうある種の固定化の弊害にこそある。次にそれについて論じていきたい。

共犯としての能力主義

「ツカエルやつが行くから」。

それは友人からの誉め言葉だった。私の内定先に、学生時代の友人の父親が勤めていたのだ。彼は父親に対して、私のことをそう紹介しておいたというのだ。いまもそうだが、90年代初頭は、いま以上に「ツカエル」ことに高い価値があった。

ここで、あえてカタカナにしたのは、ツカエルには複数の意味が込められていると考えるからである。もちろん道具などが使いやすい、便利であるという意味の「使える」からきているわけだが、ここで「使う」という表記を用いると、否定的なニュアンスを帯びてしまう。あたかも、すぐれた道具のように使える人間という意味になってしまい、誉め言葉にならない。

また、この文脈におけるツカエルは、組織のために働くという意味でもあるので、「仕える」と表記してもおかしくない。むしろ私は、当時のツカエルはそういうニュアンスを必然的に帯びていたのではないかと思っている。個人は、会社のために働く存在であるというのが、まだ社会における共通認識だったからだ。

いずれにしても、「ツカエル」人間という表現の背景には、会社の目的のために働く個人であるべきという価値観が横たわっていたのは間違いない。会社の目的とは、いうまでもなく生産である。

つまり、個人は生産性を高めるために働くことを求められていたのである。そうすると必然的に能力の高い人間こそが求められ、さらには、その能力を高めることこそが求められるようになってくる。いわゆる能力主義である。

いまも働き方改革が叫ばれ、生産性を高めることが至上命題であるかのようにいわれている。だが反面、それが過労死やメンタルヘルスを損なう労働者の増加を生んできた事実に鑑み、生産性至上主義への批判も高まっている。

そして能力主義についても、アメリカの哲学者マイケル・サンデルの『実力も運のうち——能力主義は正義か？』（早川書房、２０２１年）が大きな反響を呼んだことからもわかる通り、それを反省する機運が高まっているのである。

私は、生産という概念こそが問題だと考えているのだが、生産性至上主義と能力主義は明らかに共犯関係にあったといえる。そこで、まずは共犯者である能力主義の方から取り調べることとしよう。

サンデルは、能力主義という発想の不条理性について糾弾している。なぜなら、能力が高いというのは、運にすぎないからだ。たまたま、いい教育を受けられる境遇に生まれ育ったというだけにすぎない、と。努力したといっても、それができるかどうかさえ境遇に委ねられていると主張するのだ。

これは、私自身もよくわかる。大学に入るまでアルバイトはおろか、家事の手伝いなどもしたことがなかった。決して裕福なわけではなかったが、母子家庭であることが不利に作用しないように、祖父母が支援してくれたおかげである。そういう環境を与えてもらったおかげで、勉強時間を多く確保することができたのは事実である。往々にして暗記や問題を解く量で決まる受験などというものは、基本的に時間が勝負なのだ。だからいい大学に入れても、能力が高かったからだとは思えなかった。

それだけではない。サンデルは、そもそも能力主義というのは、たまたま自分の持っている能力が社会に必要とされているだけのことだ、とも述べている。たとえば、バスケットボールの上手な選手が高額の報酬を手にするのは、バスケットボールというスポーツが興行として成立しているからにすぎない。

能力とは、得てしてそういうものなのだ。だから能力の高さで人を評価するのをやめて、いかに社会に貢献したかで評価すべきだというのが、サンデルの結論である。それは貢献的正義と名づけられている。

これなら、コロナ禍で不遇な立場にあることがクローズアップされた、いわゆる看護師や介護士などのエッセンシャルワーカーと呼ばれる人たちも、公正に評価されるだろう、というわけである。

しかし、私にいわせると、貢献的正義でさえ、まだ生産性の呪縛にとらわれているきらいがある。そもそも貢献という表現自体が、生産という目的を前提にしたものである。生産の呪縛から解放されるためには、能力という概念そのものを疑う必要がある。

では、能力とはなにか？

多くの人はこう答えるだろう。それは物事をなし遂げる力である、と。

そうだとすると、それは人間が持っている力、そのものなのではないだろうか。なぜ、それを高めなければならないのか。本人が、より善く生きるために高めるというならわかる。でも、社会がそれを求めるというのはおかしいのではないだろうか。それを強要する社会が、不平等を生み出し、人々を苦しめているのである。

だから、誰もがもともと持っている能力をそのまま生かせるのが、本当の理想ではないかと思うのである。第2章で、コロナ禍の終息後に戻ってくるものについて論じた際、オランダの哲学者スピノザによるコナトゥスという用語を紹介した。本来の状態に戻す力という意味だ。

人が、社会に生きづらさを感じて苦しむ原因の一つに、このコナトゥスの力がうまく機能していない点が挙げられる。

だとするならば、私たちがやるべきなのは、能力を高めることではなくて、もともと持っている能力をフルに生かせるような社会にすることなのではないだろうか。そうすれば生きづらさは解消され、いい人生が送れるに違いない。

そんなふうにいうと、かつて共産主義が標榜していた、能力に応じて働き、能力に応じて受け取るといった発想と同じではないか、と指摘されそうである。しかし、共産主義のいう能力は、やはり生産を前提としている点で、私の見解とは異なる。

私のいう能力は、人間そのものであって、人が生産のために生まれてきた存在ではない以上、能力と生産は無関係なのである。むしろ私たちの能力は、それぞれの人間が不可避的に持つ偶然的運命の産物にすぎない。

誰もが偶然、この体、この時代に生まれ、偶然、この境遇で生きざるを得ないのである。日本の哲学者九鬼周造は、私たちの人生が偶然性に左右されるがゆえに、それを愛すべきだという運命愛を説いた。無数の可能性のなかから、いまの自分があるからである。

いい換えるなら、それはあるがままの自分を受け入れる、ということにほかならない。いわば「あるがまま性」ともいうべき物事のあり方が、生産性に取って代わる人生の目的、あるいは価値観だといっていいだろう。ここでようやく主犯格の生産性を追い詰めることができる。

仏教でも、自然法爾《じねんほうに》という言葉があるが、運命や物事はあるがままに任せることでうまくいく、という発想である。私たちは生産性を高めることで、社会も個人も幸福になるのだと信じきっていた。少なくとも近代以降はそうだった。

だが、その結果、格差社会や環境破壊などのはかりしれない副産物を生んでしまった。個人の苦しみも同じだ。過労死はその典型だろう。だから生産性ではなく、人間が、あるがままの生を楽しめる仕組みをつくらなければならない。追求すべきは「あるがまま性」なのである。

ツカエルやつではなく、「あるがままのやつが行くから」。

これが誉め言葉になる日を、一日も早く迎えなければならない。

利他主義とリターン主義

能力主義によって格差が生じているからか、あるいはコロナ禍のせいか、最近、世の中では助け合いが目につくようになった。気づけば利他という言葉が、時代を象徴する思想の一つになっているような気がする。

クラウドファンディングが定着し、ふるさと納税もどんどん額が大きくなるなど、少なくとも日本では利他的精神が広がっているように思うのである。実際、東京工業大学では、利他について研究するプロジェクトが発足し、中心となったメンバーの論考をまとめた『「利他」とは何か』(集英社新書、2021年)が刊行された。

5名の執筆者(伊藤亜紗、中島岳志、若松英輔、國分功一郎、磯崎憲一郎)は、皆それぞれの専門の立場から利他について論じているのだが、そこに共通している人間観は「うつわになること」だという。

つまり、うつわというからには、そこに他《た》なるものが入る余地があり、かつ自分がそれに入れるというのではなく、むしろ入ってくる、という意思を超えた要素があるということだと思われる。

その意味で、寛容な性格を形容する際に用いる「器が大きい」という場合の器に近いような気がする。逆にいうと、器が大きくなったとき、初めて、人は利他的行為に出ることができるのではないだろうか。

前掲書で、著者の一人伊藤亜紗が、災害ユートピアについて触れている。アメリカの作家レベッカ・ソルニットが広めた言葉である。人々が地震などの災害の際、見知らぬ人のために行動するというユートピア的な状況を指す。

伊藤は、こうした状況が生まれるのは、混乱によって先が読めなくなっているからだという。たしかに、どうなるかわからないから正常に判断ができない、ということもあるのだろう。

しかし私は、こうした災害時こそ人は正常に戻るのではないかと考えている。災害という集団的不条理のなかでこそ、誰もがお互い様を感じるのではないだろうか。

これは、性善説か性悪説か、というような話になってしまうのだが、基本的に人は皆いい器を持っているのだと思う。それが普段は蓋を閉じているのだ。でも、ふとした時にその器の蓋が開き、他者を受け入れる。

それは災害時もそうだろうし、コロナ禍のようなパンデミック時もそうだろう。誰か困っている人がいれば、蓋を開けるのが人間なのだ。もちろん、そうではない人でなしもいるが、それは例外である。

だから、私たちがすべきなのは二つである。できるだけ、器の蓋を開けておくようにすること。そしてなにより、器を大きくしておくことである。

よく大器晩成という。一般にこれは、大物は遅れて頭角を現すことを意味する。だが、別の意味も考えられる。器の大きい人間になるためには、時間がかかるということだ。

それではいけないように思うのだ。自分にとっても社会にとっても。誰だって早くから社会に貢献したいだろうし、社会にとってもその方がプラスだ。

そこで私は、この文脈においては大器早成の方がいいと思っている。

早く器の大きい人になるべきだし、また器の大きい人が早くから成功する方が、社会にとってもメリットがあるはずだ。昨今の世の中は、割とそういう風潮があるように感じる。社会起業家と呼ばれる人たちが増えているからだ。しかも彼らは総じて若い。

そのトップランナーといわれているのが、ボーダレス・ジャパンの田口一成だ。実に、ソーシャルビジネスだけで55億円もの売上を実現し、世界15カ国に40社を展開する社会起業家だ。貧困、難民、過疎化、フードロスといった問題を、単なるボランティアではなく、利益の出る仕組みにすることで次々と解決している。その秘訣は、著書『9割の社会問題はビジネスで解決できる』（ＰＨＰ研究所、２０２１年）のなかで余すところなく紹介されている。そもそも田口らは、社会課題を不条理ととらえている。だからこそ、それを解決することを至上命題としているのだ。

この世には、そんな崇高な志を持った人たちがたくさんいる。でも、若い人はすぐにソーシャルビジネスを立ち上げるのは大変だ。そこで彼らを支援し、ともに社会課題に取り組むための仕組みをつくったというわけだ。

まさに、私のいう大器早成のための器づくりといっていい。一番共感できるのは、そうしたソーシャルビジネスは、社会変革を起こすための手段であって、ビジネスそのものが目的ではないといい切っているところにある。現に、そのために利益は上げつつも、さまざまな工夫を凝らして、利潤追求が暴走しないようにしている。

これは、私が提唱する公共哲学のスローガンに合致するものだ。自分をいかに社会につなぐか、その本質にさかのぼって考えるのが公共哲学である。よくそのつなぎ方をスローガンのように表現することがあるのだ。

日本の学者たちは、公共哲学をめぐる議論のなかで、2000年の初めに「活私開公」というスローガンを掲げるに至った。従来の滅私奉公に対して、むしろ自分を活かすことで公を開くというウインウインの関係を目指すためである。

しかし、私はどうしてもこのスローガンが引っ掛かっていた。なぜなら、自分を活かすことが主になると、いくら公を開くといっても、それが、おこぼれのようになってしまいかねないと感じたからだ。

何事も、面白いからやるという人が多いが、その結果、社会の役に立てばいいと考えている程度だと、失敗したときは、社会になんのメリットももたらさない。かえって有害なことさえあるだろう。

公共哲学においては、あくまで公を開くことが主目的でなくてはいけない。だから私は、先のスローガンの前後をひっくり返して、むしろ「開公活私」であるべきだと唱えたのだ。公を開くために私を活かす。それが田口のいうソーシャルビジネスの思想と重なるわけである。

これからは、ビジネスに限らず、あらゆる生き方がそうした「開公活私」的なものでなければならないと考える。現にSDGsとはそういう発想である。ビジネスでも日常生活においても、私たちは常に社会のこと、公益を考えて行動しなければならない。そういう時代を生きているのだ。

考えてみれば、私たち一人ひとりの活動は皆、誰かにつながっている。だからなにをしても、他者に影響を与えてしまうのだ。そのことを意識していれば、利己的になるのを防げるのではないだろうか。

田口らのソーシャルビジネスには、「恩送り」というシステムがあるという。グループの支援があって成功したのだから、次は、自分が新しい人たちに恩を返すつもりで、資金を提供するというものだ。

そのおかげで、若い人たちもスムーズに起業することができる。私は、この発想を社会のすべての仕組みに反映すべきだと考える。彼らの恩送りは決して施しでもビジネスライクな支援でもない。恩返しなのだ。別にお世話になった人への恩返しではないから恩送りなのだろうが、その本質はやはり恩返しなのだと思う。私たちは皆つながっているのである。

こうした発想を社会全体に適用するとき、それはもう従来の利他主義とは異なるのだから、新たな名称が必要だろう。たとえば、「リターン主義」というのはどうだろうか。利他主義とリターンを掛けている。言葉遊びだが、実質をとらえてはいないだろうか。

誰もが誰かになにかを負っていると感じ、お返しする気持ちで生きていく。そんな社会が実現したとき、私たちは、ようやく気持ちよく生きていけるような気がしてならない。このぎすぎすした世の中を変えるのは、そこに住む一人ひとりの気持ちでしかないからだ。

死、絶望そして希望

生き方について論じる本章の最後に、死のことも、少し考えておきたいと思う。２０２０年3月29日、お笑いタレントの志村けんの訃報が入ったときには、衝撃が走った。まだ新型コロナウイルスが不明確な存在であっただけに、著名人の突然の死は、それが「死に至る病」であるという事実を、私たちに克明に突きつけた。

その後、著名人に限らず、死者の数が増え始めると、誰もが死と隣り合わせの時代に放り込まれたことを、いやがうえにも実感せざるを得なくなった。

いま、私たちは死と隣り合わせの時代に生きている。一見、それは新型コロナウイルス感染症が収束したかに思われる状況にあっても、変わることはない。パンデミックの時代は、むしろ幕を開けたばかりなのだ。そもそも新型コロナウイルスもまだ終わっていない。

もっとも、死への恐怖は今日に始まったことではない。人間は、いつかは死ぬ存在だ。寿命は多少延びつつあるが、この事実だけは人類が誕生して以来、変わることはないし、死への恐怖もなくなることなくずっと続いている。こんなにテクノロジーが発達した時代でさえも、そうなのだ。

だから哲学の世界でも、死をめぐっては多くの哲学者たちが議論を交わしてきた。大きく分けると、三つの立場があるといっていいだろう。

一つ目は、人は死なないと考える立場である。つまり、肉体は滅んでも、魂は死なないと考える「魂の不死」を主張するのが、この立場だ。

これは、古代ギリシアのソクラテス以来の考え方で、中世や近世のキリスト教を信じている哲学者たちも、やはり死んだら魂は天国に行くと考えている。近代でも、ニーチェが永遠回帰という概念を掲げている。これも魂が死なないからこそ、永遠にぐるぐると生まれ変わるということになるわけである。

この立場の問題点は、魂の不死を信じられない場合は受け入れられない、ということである。なにより、死ねないというのは苦痛でもある。前世の記憶が残っていないとしても、そう考えるだけで苦しくなる人はいるのではないか。

二つ目は、死など関係ないとする立場である。死のことなど考えても仕方ないという意味である。これも古代ギリシアのエピクロス以来の伝統ある考え方だ。エピクロスは、死ぬまで死は経験できないし、死んだらどうなるかわからないのだから、そんな経験できないことを考える必要はない、と喝破した。

現代でも、たとえば、フランスの哲学者サルトルがこの立場をとっている。サルトルによると、死は、ある日突然起こる偶然的なことなのだから、生きるということとセットで考えたり、生と死が、いかにも因果関係があるかのように語るのはやめよう、と訴えた。

実は、多くの人がそう思って生きているからこそ、日ごろ、死についてあまり考えないのではないか。しかし、死があるのはたしかなのだから、なんらかの意味づけがないと、ただ恐怖としてのしかかってくるだけになってしまう。

そこで三つ目として、死は生きるためにあるという立場が出てくる。つまり、死を生のゴールとしてとらえる立場である。死は、すべてが消滅する終わりだと考えるのだ。基本的には、日ごろ意識することは少ないだけで、私たちも死を生きることのゴールのようにとらえているのではないだろうか。

ドイツの哲学者ハイデガーがこの立場の典型である。彼は、人間は死に向かう存在である、といっている。これは、後ろ向きな表現に聞こえるかもしれないが、実は前向きなものである。なぜなら、死ぬまでは頑張ろう、ということを意味するからだ。現にハイデガーは、死を意識して初めて、人は「本来的生」、つまり本気で生きることができるといっているのだ。

少し前に、日本でも話題になったアメリカの哲学者シェリー・ケーガンの『「死」とは何か――イェール大学で23年連続の人気講義』（文響社、２０１９年）という本がある。そのケーガンも、人は死んだら消えてしまうという立場をとっている。だからこそ、死ぬまでの時間を大事にして、やりたいことを見つけて充実させよと呼びかけるのである。

ケーガンは、もし仮に死んでも、これをやりたいということがあれば、それは死をも恐れず生きられることを意味するのではないかという。自分にとって、それがなんなのかわかっていれば、それこそが生きる意味であり、もっとも価値のあることなのだ。だからケーガンは、ただ長く生きれば幸せだとは考えていない。人生は長さだけでなく、質も問われてくる。その質を決めるのが、生きる意味だということなのだろう。

たしかに、こうした考えを持つことができれば、長く生きることだけが正しいという発想からは抜け出せそうである。ただ、だからといって死の恐怖から逃れられるわけではない。死ぬまで懸命に生きようと思えば思うほど、やはり死を意識せざるを得ないはずだ。

やはり、死という究極の終わりを乗り越えることはできないのだろうか。

この問題を考えるうえで参考になるのは、19世紀デンマークの哲学者キルケゴールの思想である。奇しくも彼には、『死に至る病』（岩波文庫、1957年）というタイトルの著書がある。

死に至る病とはなにか。それは絶望のことである。死は、とてつもなく大きな不安だが、もしそれ以上の不安があれば、死を恐れている場合ではなくなるはずだ。キルケゴールにいわせると、絶望こそが死よりも大きな不安なのだ。

たとえば、自分がこの世からいなくなればそれで終わりだ。それが死である。でも、自分の死後も愛する人が苦しみ続けるとしたら、それは自分が死んだから終わり、というわけにはいかないだろう。

よく、病気の子どもを置いたままでは死んでも死にきれない、というが、その通りだと思う。そういう場合、自分が死んで解決するなら、つまり自分が死ぬことで愛する子どもの病気が治るなら、むしろその方がいいと思うに違いない。これはもう子どもへの心配が、自分の死よりも大きな問題になっているということだ。

革命に身を投じた人や、平和のために命を捧げたような人たちも、きっとより大きな不安があったのだろう。このままでは圧政が続き人々が苦しむとか、戦争が続くと将来世代が苦しむというふうに。

そういう人たちにしてみれば、絶望こそが問題なのであって、死など怖くもなんともなかったのだろう。

だから死を恐れる人は、むしろ、それ以上の不安である絶望を思い浮かべればいい。幸か不幸か、この世は不条理に満ち溢れている。将来世代のことを思えば、絶望的な現実は、いくらでも見つかるだろう。つまり、その絶望をなんとかすることの方が重要なのだ。

キルケゴールの結論も、決して絶望が死よりも大きな不安だという話ではない。結局、死よりも絶望をいかに乗り越えるかという話なのだ。そして彼の場合は、神への信仰によってそれを乗り越えようとする。

そうして乗り越えられる人は、それでいいだろう。でも、神を信じることができない人は、どうすればいいのか。

それは、神に代わるなにかを信じればいい。人はそれを希望と呼ぶのではないだろうか。いや、希望がないからこそ絶望を感じているのだ、というかもしれない。

しかし、この世から希望がなくなることはない。これは空虚な理想論でも、単なる修辞でもない。事実である。希望とは、論理的な存在である。どんなにひどい状況でも、万事休すであったとしても、この世には次の瞬間が訪れる。その次の瞬間というのは、宇宙の無限の可能性のなかから、さまざまな偶然が絡み合って起こる現象である。

だから、この世には想定もしないような意外なこと、不思議なことが起こる。それが悪いことであった場合は異変と呼ばれ、いいことであった場合は奇跡と呼ばれてきたのだ。つまり奇跡は起こるのだ。

そして奇跡がある限り、常に希望は残るはずである。だから希望は事実なのだ。絶望は希望を信じることができさえすれば、乗り越えられる。

それは死を乗り越えること、でもある。死を恐れる人、死に直面した人は、ぜひ、まずは絶望に目を向けてほしい。そして、希望を信じてほしい。ここに、この世の不条理を乗り越えるヒントがあるように思えてならない。

終章　不条理と向き合うための笑去主義へ

不条理を受け入れる

「運命の女神に見はなされ、どん底に落ちれば、浮かび上がる望みこそあれ、もう怖いものなしだ。なげかわしい有為転変は高処《たかみ》からの転落だ。落ちるところまで落ちれば、笑いが甦る。ならば歓迎しよう」（シェイクスピア『リア王』野島秀勝訳、岩波文庫、2000年）。

シェイクスピアの悲劇『リア王』のなかで、異母兄弟に裏切られ、どん底まで落ちたエドガーは、そういい放って世の不条理を笑い飛ばそうとした。

いつの時代も、人間の社会には不条理が存在する。人は、これでもか、これでもか、というところまで突き落とされる。それでも、生きなければならないのが人生なのだ。

すでにみてきたように、この世は不条理に満ち溢れている。不条理とは、道理に合わないことである。死、戦争、そしてパンデミックなど。いずれも運命的なものである。しかも、不可抗力を指すことが多い。

これとよく対比されるのは、理不尽という言葉だ。ただ、理不尽というのは、誰かによって引き起こされることであって、理が尽くされてないことを意味する。したがって、まだなんとかなる余地がある。でも、不条理はどうすることもできない。不条理とは、最初から理屈を超えた状況なのだ。だから、私たち人間にできるのは、理屈以外のなにかでそれを受け止めたり、乗り越えたりすることだけである。では、はたして、そんなことが可能なのだろうか。

哲学的には、これまで次の三つの立場が提起されてきたといっていい。つまり、①超然として受け入れる、あるいは②徹底的に反抗する、そして③前向きに乗り越える、という三つの考え方である。もちろん、死を選ぶという選択肢も考えられるが、それはもう不条理の受け入れではなく、その放棄になってしまう。

私としては、これらとは異なる新たな選択肢を提起したいと思っている。それが、「天と地のあいだに思いもよらないこと」を提起する哲学者の使命だ、と考えるからである。その前に、まずは既存の考え方を一つずつ検討してみよう。

①の超然として受け入れる、というのは、決して肯定的に受け入れるという意味ではない。どちらかというと、仕方なく受け入れるという意味である。どうすることもできないのだ。その点で、消極的に受け入れる態度は、すべてここに含まれると考えてよい。超然とは、関与しないというニヒリズム的な態度なのだ。

そうすると、逆説的ではあるが、妄信も含まれるだろう。2世紀のキリスト教神学者テルトゥリアヌスの言葉、「不条理なるが故に我信ず」はそれを象徴しているといえる。わけがわからないから神を信じる、という意味である。理屈を超えたものを信じるには、理屈を捨ててただ信じるしかないのだ。

しかし、この消極的な受け入れの典型は、何度も述べるが、19世紀ドイツの哲学者ショーペンハウアーに代表されるペシミズムだといっていい。人間の欲望は際限がない。それゆえに、人間は苦しむことになる。だから結局は、あきらめることでしか、その苦しみから逃れることはできないというのだ。

これが、生そのものに適用されると、生きることそのものが否定されてしまう。

ショーペンハウアーが反出生主義の祖だといわれるのは、そうした理由からである。

このような前史を踏まえつつも、不条理哲学というカテゴリーにおいては、19世紀デンマークの哲学者キルケゴールこそが、その走りであるといわれる。彼の場合、自分で人生を切り開くという実存主義の走りともいわれるのだが、両者はコインの表裏のような関係にある。

キルケゴールによる不条理の受け入れ方は、まさにこの超然として受け入れるという方法に近いように思われる。なぜなら彼の哲学は、神の存在を前にして、それを受け入れる形で、自分らしく生きていくことを決意するものだからだ。これはまた実存主義でもある。

このキルケゴールを嚆矢とする不条理哲学の延長線上に、20世紀フランスの小説家であり哲学者のアルベール・カミュの不条理哲学は位置づけられる。カミュの場合、その不条理哲学には、ある重要な変遷がみられる。

まず、初期の作品『シーシュポスの神話』や『異邦人』(新潮文庫、1963年)においては、超然として不条理を受け入れるという立場をとっていたといえる。たとえば、『異邦人』の主人公ムルソーが、不条理に対して、自己本来の精神性を獲得することで、むしろ幸福感さえ覚えるに至ったように。

ただ、こうした受け止め方は誰にでもできるものではない。その意味で、個人的な不条理ではなく、ウイルス禍や震災のような集団的な不条理に適用するのは難しいだろう。かくして、カミュの不条理哲学は、次第に集団的なものを主題とする方向で発展していく。

反抗と連帯

そこで、次に、②徹底的に反抗する、という態度についてみてみたい。

その典型は、カミュが『アルベール・カミュ1　カリギュラ』（ハヤカワ演劇文庫、2008年）で描いたものである。皇帝カリギュラは、愛する者の死に憤りを覚え、やぶれかぶれの反抗へと向かう。絶対に不条理を受け入れない、という気持ちの表れだろう。しかし、その結末がどれだけ悲惨なものになるかは、火を見るより明らかだ。だから『カリギュラ』は悲劇となる。

ところが、そんななか、カミュに変化がみえ始める。1943年から、彼は『カリギュラ』の改稿に着手するのだ。ナチスの横暴を目の当たりにし、同じ反抗でも全体主義への反抗という側面が強くなる。それとともに、『カリギュラ』においても、不条理に抗う皇帝の反抗より、むしろ暴君に反抗する理論家ケレアの役割が大きくなっていくのである。

自らも、レジスタンスとして戦っていたカミュにとって、それは不条理に対する態度として大きな転換であったといえる。反抗という態度は、カミュが、サルトルやボーヴォワールと同時代のフランスに生きた実存主義者であることを物語っている。

ある意味で、サルトルが確立したとされる実存主義は、反抗の哲学だったのだ。有無をいわせず突きつけられる本質、つまり運命に対し、実存こそが先立つと、抗い続けたのだ。

サルトルの実存主義を象徴する、「実存は本質に先立つ」という表現は、カミュの文脈においては、反抗こそが不条理を乗り越えるという言葉に置き換えられる。

こうしてカミュによって、不条理は前向きに乗り越えうるものとしてとらえ直されていく。

それでは最後に、③の前向きに乗り越える、という態度についてみてみよう。カミュは、この困難な態度について『ペスト』や『反抗的人間』（新潮社版 カミュ全集第6巻、1973年）のなかで明らかにしている。『ペスト』では、それは誠実に生きる人々の「連帯」の概念によって、そして『反抗的人間』では、個々の精神と肉体とをまもりつつ、それら個人相互の調和を実現する「統一」の概念によって乗り越えようとした。

つまり、ここにおいて不条理は、他者と連携することで初めて乗り越えられるものとして位置づけられたことになる。弱い個人が、不条理を乗り越えるためには、お互いに手を携えるしかないのだ。それは知恵の共有であり、物理的な助け合いであり、なにより精神的な支え合いにほかならない。

原因がわかっている集団的不条理については、連帯が最善の対処法であるといえるだろう。それは今回の新型コロナウイルスによるパンデミックを見れば、よくわかる。ウイルスの発生源自体は不明であるとしても、少なくともいま、自分たちが被っている不条理が、ウイルスを原因とするものであることはたしかだ。

したがって、それを乗り越えるためには、助け合うよりほかない。実際、地球規模での助け合いによって、私たちはほぼその危機を乗り越えようとしているのだ。

問題は、原因が不明な集団的不条理に対して、どう対処していけばいいかであろう。ある日突然、人々が死んでいく事態が発生したとしよう。その恐怖、その不条理に対して、はたして連帯は意味をなすのか、どうか。今回のコロナ禍でも、初期の段階はまさにそのような状況だったといっていい。

そのとき連帯は、なんの意味も持たなかった。なぜなら、そのような段階においては、人は他者を疑うからである。連帯するどころか、自分以外の人間を犯人扱いするのである。得体が知れないのだから、やむを得ない。誰もが潜在的に犯人でありうるのだ。

そういう状況において、不条理を誰かのせいにしてしまうと、魔女狩りのような悲劇が起こる。新型コロナウイルスでいうと、中国叩き、あるいはその延長線上でアジア人叩きが起こった。

だから、誰かのせいにしてはいけない。それが妖怪や幽霊といった発想を生み出したのだろう。

得体の知れないものを人間のせいにすることなく、超常現象として位置づけることで、納得する。それは人間の英知なのだ。

特に、共同体の和を重視する日本において、妖怪の概念が発展しやすいのはうなずける。日本人は妖怪好きだといわれるが、それにはちゃんと理由があったのだ。妖怪学の元祖ともいわれる明治期の哲学者井上円了によると、妖怪とは異常変態であり、かつ不可思議なものをいう。

つまり、説明のつかないものに対しては、妖怪という名のレッテルを貼って納得していたのである。それは現代もなお続いている。現にコロナ禍において、アマビエという妖怪も着目された。疫病退散に関係があるということで、にわかにもてはやされたのである。

不条理はもう仕方ないので、せめてそれを恐れずに生きていけるようにしよう、というわけである。こうした発想は、おそらく日本に限らず世界中にあるように思われる。調べたわけではないが、宗教心の強い国なら、なおさら神に頼ることによって同様の発想をすることだろう。

もちろん、そうやって不条理を乗り越えられるなら、なんら問題ない。原因がわかっていようがいまいが、いずれにしても受け入れることで乗り越えられるなら、幸せなのだろう。しかし皆が皆、そうやって不条理を乗り越えられるわけではない。とりわけ、原因がわからないような不条理については、妖怪の仕業だとして納得がいくとか、神の御業として納得がいく、という人ばかりではないだろう。私もその一人だ。

そもそも哲学者という人種は、わからないことに対して蓋をして済ますことができない。「天と地のあいだに思いもよらないこと」があるのを前提として生きているからだ。

だとすれば、その思いもよらない部分を、どう納得して生きていけばいいのか。私はここで、第四の態度を提案したいと思っている。それは笑い飛ばすという態度である。本章の冒頭で、『リア王』に出てくるセリフを引用した。どん底に落ちれば、笑いが甦るというものだ。

これこそ、不条理に対する新たな達観、新たな前向きの態度を表明するものではないだろうか。リア王的達観といってもいいだろう。

加藤周一の評論に、「狂気のなかの正気または『リヤ王』の事」というタイトルの文章がある。リア王は、狂気のなかから正気に目覚めていったという。そうして歴史家のごとく世の中を達観できる状態に至ったというのだ。

それをもじるなら、私のいう笑い飛ばす態度は、「不条理のなかの正気」といってもいい。決して狂気じみて笑うというのではない。その反対で、本質を見透かしたからこそ笑い飛ばすことができるのだ。

思想的に表現するなら、「笑去主義《しょうきょ》」とでもいえようか。笑い飛ばすことで、不条理を消し去ってしまうのだ。不条理の英語はabsurdityで、この語には「滑稽さ」という意味がある。この単語の語源であるラテン語のabsurdusにそういうニュアンスがあるのだ。

つまり不条理とは、どうしようもない悲しいことであると同時に、もうどうしようもないからこそ、滑稽な状態でもあるということだ。

だから不条理文学というのは、一見わけのわからないことが起こって、滑稽にもみえるのではないだろうか。これを逆手にとったらどうか、と思ったわけである。どうしようもない、滑稽なことなのだから、怒るのではなくて笑い飛ばす。しかも本気で笑い飛ばす。

そうすると、少なくともこっちは堂々と生きていくことができるだろう。もし、世界に意志があって、戦争や災害や運命によって人間を困らせてやろうとしたら、どうか。こっちが笑い飛ばしてしまったら、向こうはもう、なすすべがないはずだ。

そんな想像をするだけで、不条理を怖れることも、嘆くこともせずに生きていけるような気がしないだろうか。そもそも不条理が苦しいのは、不満をぶつけたり、対決したりする相手がいないことである。それが人間であるにせよ、ほかの生き物であるにせよ、である。ただ戦争は相手がいそうだが、不条理をもたらしているのは戦争という事象そのものだ。パンデミックもそうだ。

そんなとき、もし不条理そのものを擬人化して、その「相手」を手玉に取ることができたらどうだろう。少なくとも精神的な行き詰まりを突破できるのではないだろうか。

そのためには、本気で不条理を笑い飛ばすことができなければならない。それができて初めて、人はもっと積極的に生きていけるようになると思うのだ。

もちろん、世の中の問題を笑いに変換するという技術は、歴史上幾度となく用いられてきた。たとえば、諧謔《かいぎゃく》主義と呼ばれたユーモリストたちもその一例だ。だが、単に皮肉によって現実を笑い飛ばそうとした彼らの態度と、私の提起する笑去主義とは、本質的に異なる。

あえて、消去と音が重なる笑去という言葉を用いているように、皮肉でごまかすだけでなく、実際に不条理を消し去ってしまうことを意図しているからだ。実は、哲学の世界には消去主義という概念がある。これは心とはなにか、を考察する哲学の分野における代表的な考え方の一つである。世界は物理的な存在だけで構成されているとする立場だ。

したがって、心的出来事を記述するために使用されてきた言語は、物理的出来事を記述するための言語に翻訳することを、やめるよう訴える。文字通りそのような言語は消去していこう、というわけである。

なぜなら、それは不正確だからだ。アメリカの哲学者ポール・チャーチランドなどは、物理学によってよりうまく説明できるなら、それによって理論が置き換えられていくのは当然だとしている。

この消去主義と私のいう笑去主義は、直接の関係はまったくない。ただ、強いていうなら、不条理は物理的出来事を自分にとって不利なものととらえる心情であって、その意味では、心情次第でとらえ方を変えることはできる。つまり消去できるという点でつながってくるのだ。だから、そのニュアンスを込めて、あえて笑去という表現を使おうと思う。

笑い飛ばすことで、あたかも魔法のように不条理を消してしまえばいい。フランス語には、コンジュラシオン（conjuration）という表現がある。魔法によって危険を退ける、というような意味だ。「conjurer le sort（悪い運命を追い払う）」という形で用いられたりする。でも、この場合の魔法は、不思議な力ではなく、自分の意志によって誰もが使えるものである。

笑い飛ばすというのは、このコンジュラシオンみたいなものだと思ってもらえばいい。昔、なにかのマンガで、お化けが人を怖がらせようとしているのに、人間が笑って怖がらないのであきらめた、というシーンがあったのを覚えている。

当時はまだ幼く、お化けが怖かったから、「これだ！」と思った記憶がある。そしていま、不条理というお化けと対峙せざるを得なくなって、昔の記憶がよみがえってきたのかもしれない。いや、それだとまだ、不条理を恐れているように聞こえてしまう。

笑去主義は、そんな消極的なものではない。心から笑い、楽しもうとする積極的な態度である。

たとえば、こういうことだ。前に親ガチャの話をしたと思う。運命はなにも変わらないわけだが、自分の状況を笑い飛ばすことができるなら、親ガチャのとらえ方も変わってくるはずだ。むしろ人生という名のガチャガチャを、本当にガチャガチャとして楽しめるはずである。

なにが起こっても、「はい、来ましたぁー」程度の気持ちで受け流す。

そうでないと、この不条理が加速する世の中では、やっていられない。死か怒りか、みたいな二択の人生はつまらない。そこに笑い飛ばすという選択肢があるとすれば、少なくとも私は、それを選ぶ。その選択だけはガチャガチャじゃないのだ。それが笑去主義である。

達観したリア王のごとく、笑おうではないか。どん底の先には、希望しかないのだから。そう、不条理を乗り越えるための笑去主義は、希望の哲学にほかならない。

おわりに

これからの新しい世界を描こうとした際、オルダス・ハクスリーの名作『すばらしい新世界』は、さまざまな意味で私にインスピレーションを与えてくれた。その意味で、本書は『すばらしい新世界』へのオマージュでもある。

そのハクスリーが、この作品の新版への前書きで、「近い未来は近い過去に似がちだ」と語っている。最後にいま一度、ハクスリーの言葉に耳を傾けつつ、すぐ先に起ころうとしていることを予測してみたい。コロナ禍が終息したら、私たちはどのような行動を取り始めるだろうか。

ハクスリーによると、近い未来は近い過去に似がちだ、というのだから、つまり、それは、私たちがコロナ禍という不条理を経験する少し前の状態に戻ってしまいがちだ、ということである。

ハクスリーは、この言葉を、原子力を悪用する近未来の全体主義社会への警句として用いた。たしかに、いまより少し前、私たちは全体主義を経験してしまった。近い未来は、本当は近い過去に似ていてはいけないはずだ。人間は失敗をする生き物である。そして、その失敗の後、反省し、新たな誓いを立てる。にもかかわらず、また同じ失敗を繰り返してしまうのだ。

その失敗の前後をみると、まさに近い過去と近い未来が同じ状態になってしまっている、ということになるのだろう。失敗するような行動を取っていたことで、案の定、失敗してしまう。にもかかわらず、また同じ行動を取る。なぜなのか。それは、その方が楽だからだ。コロナ禍を招いてしまった少し前を思い出してもらいたい。

大量生産、大量廃棄、それによる格差、飢餓、戦争、環境破壊……。言葉にするとあまりにもおぞましいが、ザカリアのいうとおりシートベルトも締めることなく、それでもそんな社会を突っ走っていた。楽に生きたかったのだ。たくさんつくれば、生活が豊かになる。エコよりエゴだ。捨てる方が楽なのだ。

だとすると、楽をしたいという気持ちを変えない限り、今回も元の生活に戻ってしまう可能性は大いにある。

でも、どうだろうか。資本主義だけでなく、格差問題、戦争、環境問題など、あらゆる問題について、すでに哲学的考察を加えてきた。だから答えは明白だ。私たちは、変わらなければならない。楽だからといって、もう元に戻ることは許されない。いや、戻ろうと思っても元の世界はもうないのだ。

ボロボロになって壊れかけた世界だけが残ってしまった。そんなところで「楽な」生活をしようとすれば、どうなるのかは、誰の目にも明らかだろう。

近い未来が、近い過去とは似ても似つかぬものになるよう、私たちは気持ちを変える必要がある。本書が、その変化のための一助になれば幸いである。

最後になるが、不条理をテーマにした対話を通じ、有益な視点を与えてくれた「哲学カフェ」のメンバー、そして本書の企画段階から校正に至るまで、熱心にサポートいただいた平凡社新書編集部の和田康成氏に感謝を申し上げたい。

２０２２年３月５日

小川仁志

参考文献

第1章

ファリード・ザカリア『パンデミック後の世界——10の教訓』上原裕美子訳、日本経済新聞出版、2021
オルダス・ハクスリー『すばらしい新世界』黒原敏行訳、光文社古典新訳文庫、2013
アルベール・カミュ『シーシュポスの神話』清水徹訳、新潮文庫、1969

第2章

アルベール・カミュ『ペスト』宮崎嶺雄訳、新潮文庫、1969
アルベール・カミュ『カミュ全集5　戒厳令・正義の人びと』大久保輝臣・白井健三郎他訳、新潮社、1973
パオロ・ジョルダーノ『コロナの時代の僕ら』飯田亮介訳、早川書房、2020
スピノザ『エチカ　倫理学（上）』畠中尚志訳、岩波文庫、1951
プラトン『饗宴』久保勉訳、岩波文庫、2008
ジョルジョ・アガンベン『私たちはどこにいるのか？——政治としてのエピデミック』高桑和巳訳、青土社、2021
ユヴァル・ノア・ハラリ『緊急提言　パンデミック——寄稿とインタビュー』柴田裕之訳、河出書房新社、2020

スラヴォイ・ジジェク『パンデミック2――COVID-19と失われた時』岡崎龍監修、中林敦子訳、Pヴァイン、2021
アグネス・カラード他『怒りの哲学――正しい「怒り」は存在するか』小川仁志監訳、森山文那生訳、ニュートンプレス、2021
ジェレミー・ウォルドロン『ヘイト・スピーチという危害』谷澤正嗣、川岸令和訳、みすず書房、2015
メアリ・ダグラス『汚穢と禁忌』塚本利明訳、ちくま学芸文庫、2009
大西赤人「判断停止の快感」「朝日新聞」1988月8月15日・夕刊文化欄
リチャード・セイラー、キャス・サンスティーン『実践 行動経済学――健康、富、幸福への聡明な選択』遠藤真美訳、日経BP社、2009
クリストフ・ボヌイユ、ジャン＝バティスト・フレソズ『人新世とは何か――〈地球と人類の時代〉の思想史』野坂しおり訳、青土社、2018
アルド・レオポルド『野生のうたが聞こえる』新島義昭訳、講談社学術文庫、1997
ダニエル・C・ラッセル編『徳倫理学――ケンブリッジ・コンパニオン』立花幸司監訳、相澤康隆、稲村一隆、佐良土茂樹訳、春秋社、2015
カール・ヤスパース『ヤスパース選集〈第15〉現代の政治意識（上）』飯島宗享訳、細尾登訳、理想社、1966

第3章

カール・シュミット『政治神学』田中浩、原田武雄訳、未來社、1971
デイヴィッド・ランシマン『民主主義の壊れ方――クーデタ・大惨事・テクノロジー』若林茂樹訳、白水

社、2020
ヤン＝ヴェルナー・ミュラー『ポピュリズムとは何か』板橋拓己訳、岩波書店、2017
ユヴァル・ノア・ハラリ『21 Lessons――21世紀の人類のための21の思考』柴田裕之訳、河出文庫、2021
フランシス・フクヤマ『「信」無くば立たず――「歴史の終わり」後、何が繁栄の鍵を握るのか』加藤寛訳、三笠書房、1996
プラトン『国家（上・下）』藤沢令夫訳、岩波文庫、1979
ジョン・ロールズ『正義論 改訂版』川本隆史、福間聡、神島裕子訳、紀伊國屋書店、2010
斎藤幸平『人新世の「資本論」』集英社新書、2020
マルクス・ガブリエル『つながり過ぎた世界の先に』大野和基編、髙田亜樹訳、ＰＨＰ新書、2021
ギュスターヴ・ル・ボン『群衆心理』桜井成夫訳、講談社学術文庫、1993
オルテガ・イ・ガセット『大衆の反逆』佐々木孝訳、岩波文庫、2020
丸山真男『日本の思想』岩波新書、1961
宇佐美誠編著『グローバルな正義』勁草書房、2014
岩城志紀「ティム・ヘイウォードのグローバル正義論――現実を踏まえた規範理論の発展を目指して」『Contemporary and Applied Philosophy』Vol.12, 2021、105-117頁
トマス・ポッゲ『なぜ遠くの貧しい人への義務があるのか――世界的貧困と人権』立岩真也監訳、生活書院、2010
トルストイ『戦争と平和１～６』藤沼貴訳、岩波文庫、2006
ブリュノ・ラトゥール『諸世界の戦争――平和はいかが？』工藤晋訳、以文社、2020

イマヌエル・カント『永遠平和のために』宇都宮芳明訳、岩波文庫、1985

第4章

帚木蓬生『ネガティブ・ケイパビリティ――答えの出ない事態に耐える力』朝日選書、2017
エピクテトス『語録 要録』鹿野治助訳、中公クラシックス、2017
M・チクセントミハイ『フロー体験入門――楽しみと創造の心理学』大森弘監訳、世界思想社、2010
ピエール・ブルデュー『ディスタンクシオン〔社会的判断力批判〕〈普及版〉Ⅰ、Ⅱ』石井洋二郎訳、藤原書店、2020
ショーペンハウアー『幸福について――人生論』橋本文夫訳、新潮文庫、1958
ヴィルヘルム・ディルタイ『体験と創作（上）』柴田治三郎訳、岩波文庫、1961
ヘーゲル『法の哲学Ⅱ』藤野渉、赤沢正敏訳、中公クラシックス、2001
原田曜平『Z世代――若者はなぜインスタ・TikTokにハマるのか？』光文社新書、2020
久保陽一『ドイツ観念論とは何か――カント、フィヒテ、ヘルダーリンを中心として』ちくま学芸文庫、2012
デイヴィッド・ベネター『生まれてこないほうが良かった――存在してしまうことの害悪』小島和男、田村宜義訳、すずさわ書店、2017
森岡正博『生まれてこないほうが良かったのか？――生命の哲学へ！』筑摩選書、2020
マイケル・サンデル『実力も運のうち――能力主義は正義か？』鬼澤忍訳、早川書房、2021
九鬼周造『「いき」の構造 他二篇』岩波文庫、1979
伊藤亜紗編、中島岳志、若松英輔、國分功一郎、磯崎憲一郎著『「利他」とは何か』集英社新書、2021

田口一成『9割の社会問題はビジネスで解決できる』PHP研究所、2021
小川仁志『公共性主義とは何か――〈である〉哲学から〈する〉哲学へ』教育評論社、2019
シェリー・ケーガン『「死」とは何か（完全翻訳版）――イェール大学で23年連続の人気講義』柴田裕之訳、文響社、2019
キルケゴール『死に至る病』斎藤信治訳、岩波文庫、1957

終章

シェイクスピア『リア王』野島秀勝訳、岩波文庫、2000
内藤理恵子『誰も教えてくれなかった「死」の哲学入門』日本実業出版社、2019
アルベール・カミュ『異邦人』窪田啓作訳、新潮文庫、1963
アルベール・カミュ『アルベール・カミュ1 カリギュラ』岩切正一郎訳、ハヤカワ演劇文庫18、2008
アルベール・カミュ『カミュ全集6 反抗的人間』佐藤朔、白井浩司訳、新潮社、1973
竹村牧男『井上円了――その哲学・思想』春秋社、2017
鷲巣力編、加藤周一著「狂気のなかの正気または『リヤ王』の事」『加藤周一自選集5（1972－1976）』岩波書店、2010
ポール・チャーチランド『物質と意識（原書第3版）――脳科学・人工知能と心の哲学』信原幸弘、西堤優訳、森北出版、2016

【著者】
小川仁志（おがわ ひとし）
1970年京都府生まれ。哲学者。山口大学国際総合科学部教授。京都大学法学部を卒業後、93年伊藤忠商事に入社。96年に退社後、4年半のフリーター生活を経て、2001年名古屋市役所入庁。08年名古屋市立大学大学院博士後期課程修了。博士（人間文化）。米プリンストン大学客員研究員などを経て、現職。著書に『闘うための哲学書』（共著）、『哲学の最新キーワードを読む』（ともに講談社現代新書）、『「道徳」を疑え！』（NHK出版新書）、『公共性主義とは何か』（教育評論社）、『孤独を生き抜く哲学』（河出書房新社）など多数。

平凡社新書1002

不条理を乗り越える
希望の哲学

発行日――2022年4月15日　初版第1刷

著者――小川仁志

発行者――下中美都

発行所――株式会社平凡社
〒101-0051 東京都千代田区神田神保町3-29
電話 (03) 3230-6580 [編集]
(03) 3230-6573 [営業]

印刷・製本―株式会社東京印書館

装幀――菊地信義

ISBN978-4-582-86002-3
平凡社ホームページ　https://www.heibonsha.co.jp/